et ce faisant, nous éc
des grands nombres a
Voilà, d'abord, le prem
rendre les chiffres palpables, tangibles, concrets; les mettre à portée de nos cervelles; les revisiter pour les placer à échelle humaine. Leur donner ce qu'on appellerait en philo une «unité esthétique», c'est-à-dire intelligible et représentable.

24 heures en France devient ainsi une exploration de ce qu'est chaque jour notre pays, de ce que sont, de ce que font ses habitants. Un portrait inédit de la France et des Français, de l'activité de l'une et des comportements des autres. Une exploration du quotidien qui devient découverte et vire à la surprise, souvent à la stupéfaction. Tant la lecture de cet incroyable amoncellement de chiffres – dont certains incongrus – ne manque pas de susciter nombres de «oh!» et de «ah!» pleins d'incrédulité ou d'amusement.

24 heures en France, c'est à la fois une banque de données profuse, éclectique, utile, et un objet de diversion, que l'on picore à son gré. Une drôle d'enquête qui donne, à sa manière, de l'intelligence aux choses et du plaisir à la lecture.

Michel Richard

24 *heures en France* reprend l'ensemble du dossier du magazine *Le Point*, paru à l'occasion de ses vingt-cinq ans. Cette édition spéciale a été conçue et réalisée sous la direction de Michel Richard, rédacteur en chef du Service société du *Point*, avec la collaboration de Christine Rigollet (chef d'enquête), Natacha Pérez, Nathalie Orvoën et les services de la rédaction. Directeur artistique : Philippe Bertrand. Rédacteur en chef technique : Alain Goguet-Chapuis, avec François Quenin et Valérie Bouvart. Les illustrations et infographies ont été réalisées par les sociétés Idé, Graphic News, JSI, avec la collaboration du Service photo du *Point*.

Dépôt légal : janvier 1998
Numéro d'édition : 85077
ISBN : 2-07-053446-4
Imprimerie Kapp Lahure Jombart, à Evreux

24 HEURES EN FRANCE
PORTRAIT INSOLITE DE LA FRANCE ET DES FRANÇAIS

Sous la direction de Michel Richard
avec la rédaction du magazine *Le Point*

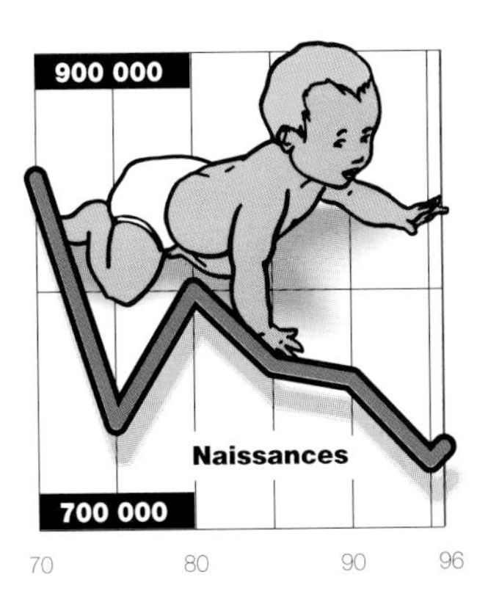

DÉCOUVERTES GALLIMARD/LE POINT
ÉDITION SPÉCIALE

SOMMAIRE

Présenté selon un ordre alphabétique, *24 heures en France* se découpe en 61 entrées principales. Les «journées particulières» sont ici indiquées en italique, à la suite de la rubrique dans laquelle elles s'insèrent. Un index avec les références complètes apparait en fin d'ouvrage.

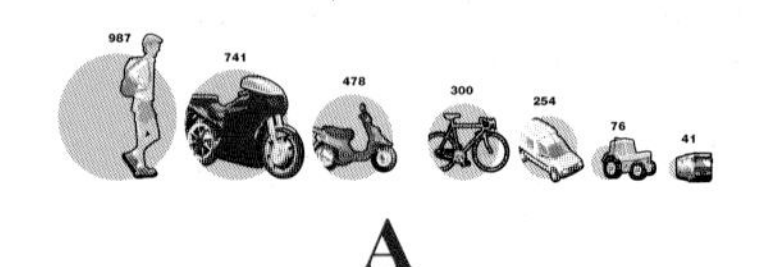

A

B

C

D

E

H

I

J

L

M

O

P

R

S

T

V

Et pendant ce temps-là… dans le monde

ACCIDENTS

Transports

En France, chaque jour, plus de 22 personnes meurent sur les routes. En 1972, elles étaient plus du double: 46. Les routes les plus dangereuses sont les départementales (12 décès par jour), les nationales (6,2) et les autoroutes (1,17). La voiture est le moyen de transport le moins sûr. 14,35 automobilistes ou passagers meurent chaque jour. Viennent ensuite les piétons et les motards (2,6 et 2,03). Les moins touchés sont: les cyclomotoristes (1,3), les cyclistes (0,82), les conducteurs de tracteur, de transport en commun, etc. (0,6), et enfin les chauffeurs de poids lourds (0,3). Les accidents corporels sont eux aussi très importants : plus de 343 par jour.
Les moyens de transport les plus sûrs restent l'avion et le train, avec respectivement 6 et 69 accidents par an.

Vie privée

22740 personnes sont chaque jour victimes d'un accident dans le cadre de leur vie courante (à la maison, mais aussi à l'école ou dans la pratique d'un sport). Conséquences: 55 morts, 5480 blessés, 1230 hospitalisations et 1500 arrêts de travail quotidiens. 60 % des victimes sont des hommes.
Les seuls accidents domestiques sont à l'origine d'environ 50 morts par jour. Un nombre près de 20 fois plus élevé que celui des accidents du travail et 2 fois plus élevé que celui des tués sur la route. Les principales populations à risque sont les enfants de moins de 16 ans, devant les retraités et les inactifs. La cuisine est la pièce de tous les dangers: 25 % des accidents de la vie privée s'y produisent. Le coût des accidents de la vie courante est estimé à 49,3 millions de francs par jour.

Travail

On recense environ 5000 accidents du travail par jour (en comptant 5 jours par semaine), dont 2600 ont nécessité un arrêt de plus de 24 heures, 216 une incapacité permanente et 3 la mort du

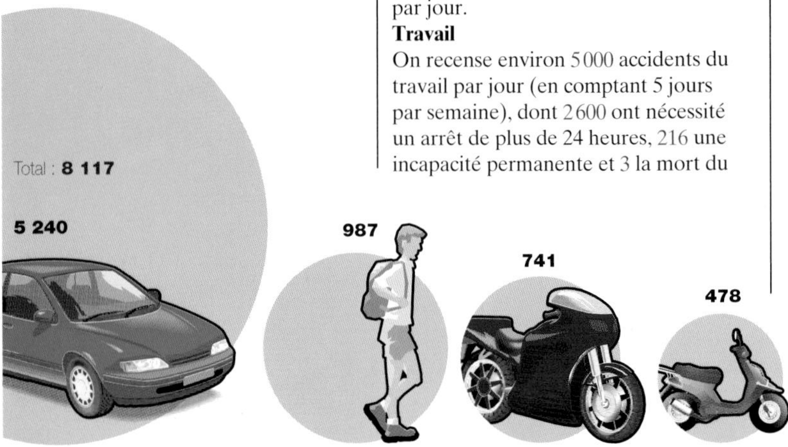

Les décès sur les routes de France en nombre de tués, en 1996

Un jour à Europ Assistance

Avec un chiffre d'affaires journalier de 5 156 164 francs, l'entreprise créée en 1963 par Pierre Desnos peut s'enorgueillir d'être la première entreprise mondiale d'assistance. 1 723 salariés permanents, 250 000 prestataires dans le monde, 275 bureaux de correspondants sont prêts à venir aider vingt-quatre heures sur vingt-quatre les 100 millions de personnes couvertes par Europ Assistance. Chaque jour, on compte 4 263 interventions à travers le monde, dont 2 218 d'assistance technique aux véhicules, 1 525 de conseil et d'information, 256 médicales, 190 assistances à domicile et 74 autres types d'activités (informatique, par exemple). Afin de gérer de façon optimale les appels (31 506 reçus chaque jour), la branche française d'Europ Assistance dispose non seulement de 1 500 lignes de téléphone au seul siège parisien, mais aussi d'un téléphone fax satellite, tandis que 4 émetteurs-récepteurs et plusieurs téléphones GSM sont disponibles pour les interventions.
Avec un matériel de plus de 12 millions de francs (2 740 francs investis chaque jour), Europ Assistance France est capable de tout mettre en œuvre pour secourir ses clients. De la couveuse pour nouveau-né aux respirateurs artificiels (33 en stock) en passant par les 55 électrocardioscopes, les 80 bouteilles d'oxygène spéciales aviation ou les 5 simulateurs cardiaques… cette entreprise est capable de déployer l'équivalent de 5 services hospitaliers d'urgence et de réanimation. Une équipe de 120 médecins et infirmiers est prête à décoller à tout moment. Il ne leur faut que 2 heures maximum pour transformer un avion normal en avion-hôpital. 200 jets spéciaux sont affrétés par an pour pouvoir se rendre n'importe où dans le monde.

salarié. On estimait en 1970 le nombre d'accidents mortels du travail à 9.
La fréquence des décès est 5 fois plus élevée chez les ouvriers que chez les autres travailleurs.
Le taux d'accidents est deux fois plus important dans les petits établissements que dans les grands. Enfin, le risque est maximal entre 20 et 29 ans, quel que soit le secteur d'activité.

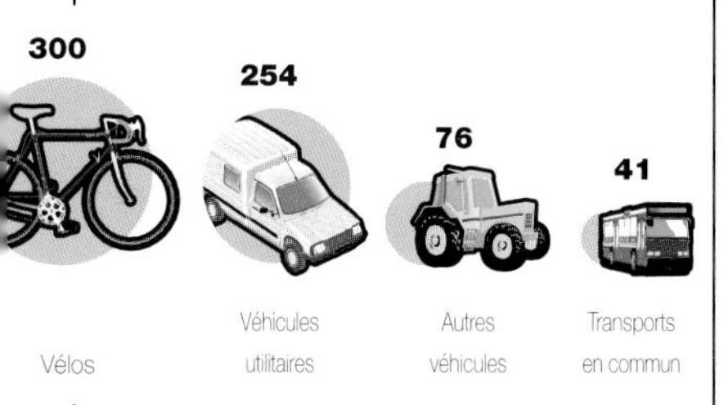

Le nombre de maladies professionnelles ayant occasionné une incapacité permanente était en 1994 de 14 par jour. Le nombre des décès est de 256 pour l'ensemble de l'année 1994.

AGRICULTURE

Agriculteurs

Plus que d'autres, ce secteur de l'activité économique a connu, depuis vingt-cinq ans, d'énormes bouleversements. Depuis 1970, ce sont 200 agriculteurs qui ont, chaque jour, cessé leur activité. Avec 997 000 personnes en 1996, la population active agricole représente 4 % de la population active totale, contre 13 % en 1970.

Exploitations agricoles

On dénombre 735 000 exploitations agricoles (contre 1,6 million en 1970), parmi lesquelles 454000 ne peuvent pas assurer l'emploi d'un actif à temps complet. Les unités de 200 hectares et plus, qui représentent 2 % de l'ensemble, exploitent 12 % de la surface agricole totale. La taille moyenne des exploitations agricoles atteint aujourd'hui 39 hectares. Elle a doublé en vingt-cinq ans.

Ressources

Les livraisons de produits agricoles ont représenté chaque jour de 1996 820 millions de francs. Parmi les autres ressources des agriculteurs, soulignons que la part des subventions (qui se montent quotidiennement à 145 millions de francs) représente aujourd'hui 14 % des ressources, contre 0,8 % en 1970. La production de chaque exploitation agricole est estimée à 1700 francs par jour. Après déduction des charges, le résultat avant impôt est de 515 francs. Ces chiffres cachent une grande disparité : les niveaux de revenus les plus élevés sont atteints dans l'élevage de porcins et de volailles, la viticulture et les grandes cultures; les plus bas chez les éleveurs de bovins et d'ovins pour la viande.

Production

Voici ce que représentent – par jour – les principales productions agricoles :
- Blé (1re culture française): 95000 tonnes.
- Betteraves: 84100 tonnes.
- Maïs: 39500 tonnes.
- Orge: 26000 tonnes.
- Colza: 8000 tonnes.
- Tournesol: 5500 tonnes.
- Légumes frais: 16500 tonnes.

Les principaux légumes produits sont les tomates (2000 tonnes), les carottes (1760 tonnes) et les salades (1500 tonnes).
- Pommes de terre: 17000 tonnes.
- Fruits: 10500 tonnes, dont 5600 tonnes de pommes, 1300 tonnes de pêches et de nectarines, 1000 tonnes de poires, 960 tonnes de prunes, 280 tonnes de raisin de table et 210 tonnes de fraises.
- Tabac: 74 tonnes, dont 32 tonnes de tabac brun et 42 tonnes de blond.
- Bois: 98750 mètres cubes de bois rond.
- Lait: 61 millions de litres.
- Bovins: 5400 tec (tonne d'équivalent carcasse).
- Porcins: 5900 tec.
- Ovins: 400 tec.
- Œufs: 45 millions d'unités.
- Volailles: 6000 tec.
- Pêche: 1752 tonnes de poissons, algues, coquillages et crustacés.
- Salmonidés: 110 tonnes.

La baisse de la consommation de bœuf en 1996

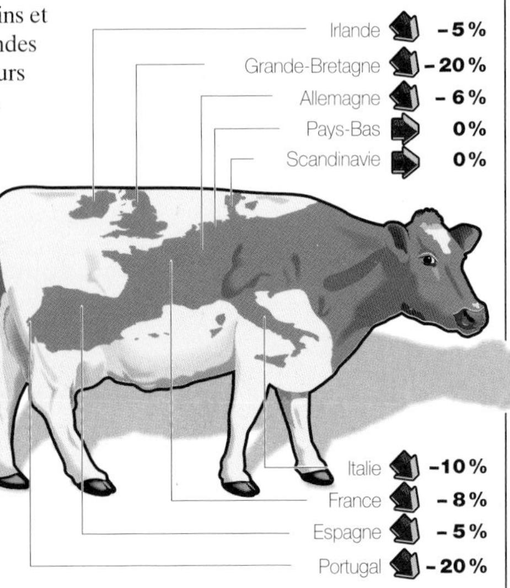

AGRO-ALIMENTAIRE

Chiffre d'affaires
En 1995, le chiffre d'affaires des industries agroalimentaires a atteint 1,8 milliard chaque jour, soit autant que ceux de l'automobile et de la chimie réunies. C'est l'industrie des viandes qui arrive au premier rang, suivie de celle des produits laitiers.

Production
Voici ce que la France produit chaque jour:
- Sucre: 12300 tonnes.
- Farine: 14200 tonnes.
- Conserves de légumes: 3800 tonnes
- Conserves et confitures de fruits: 1120 tonnes
- Vin: 160000 hectolitres, dont 66300 hectolitres de vin d'appellation d'origine contrôlée.
- Bière: 50200 hectolitres.
- Boissons non alcoolisées aux extraits naturels (tonics, limonade, colas...): 55900 hectolitres.
- Aliments composés pour animaux: 58200 tonnes.
- Charcuterie et conserves de viande: 2650 tonnes.
- Plats cuisinés (cassoulet, raviolis...): 890 tonnes.
- Conserves de poissons : 310 tonnes.
- Huiles végétales raffinées: 1330 tonnes.
- Produits laitiers:
  • lait conditionné: 10800 tonnes.
  • yaourts et laits fermentés: 3000 tonnes.
  • desserts lactés frais: 1200 tonnes.

Un jour dans une conserverie

La conserverie Saupiquet de Saint-Gilles-Croix-de-Vie, en Vendée, est spécialisée dans la mise en boîte du thon. Celui-ci arrive directement d'Abidjan, où il a été pêché et où en ont été extraites les longes (les filets de thon). Entre 20 et 30 tonnes de longes de thon arrivent ainsi quotidiennement à Saint-Gilles-Croix-de-Vie. Ce tonnage correspond à une pêche brute de 60 à 90 tonnes.
Au total, les 120 salariés (150 en haute saison) remplissent 350 boîtes à la minute, soit entre 500000 et 600000 par jour.
Le total pèse entre 80 et 100 tonnes, dont 8 à 10 tonnes pour les seules boîtes. Pour agrémenter ses recettes, Saupiquet, dont cette conserverie est la plus importante en France, consomme chaque jour 25 tonnes de matière première, dont 2,25 tonnes de carottes, 7,5 tonnes d'huile, 3,75 tonnes de cornichons, 4,25 tonnes de concentré de tomate, 1,25 tonne de poivrons et 60 kilos de sel.
La production quotidienne, répartie sur 200 jours ouvrés par an, est déplacée et stockée sur une centaine de palettes.
Il faut une dizaine de camions pour la redistribuer aux centrales d'achat des grandes surfaces. En attente de la haute saison (l'été), où l'on consomme deux fois plus de boîtes qu'en basse saison, l'usine peut stocker 1,5 million de boîtes ou les envoyer à Vannes, où l'on peut stocker jusqu'à 48 millions de boîtes. Chacune d'entre elles a une durée de vie d'environ trois ans, mais est généralement consommée un mois après son achat. En grandes surfaces, on les achète entre 5 et 6 francs les 135 grammes.

- beurre : 1 100 tonnes.
- fromages de vache : 4500 tonnes.

- Chocolat : 1 500 tonnes.
- Confiserie : 550 tonnes.
- Aliments diététiques : 330 tonnes.
- Entremets, desserts, petits déjeuners : 360 tonnes.
- Biscuiterie/biscotterie : 1 650 tonnes.

ALIMENTATION

Quelques constatations éparses :

– En vingt-cinq ans, les Français ont progressivement délaissé les produits de base au profit de produits plus élaborés.
La consommation de pain est en baisse régulière depuis le début du siècle (165 grammes en 1993 contre 900 grammes en 1900) et les 96 kilos (par personne) de pommes de terre de 1970 ont fondu pour ne faire plus que 72 kilos aujourd'hui. En revanche, les Français consomment davantage de produits haut de gamme : pâtes aux œufs frais, poulet de ferme, riz exotique, vins AOC, etc. En 1995, ils ont consommé 29 kilos de surgelés, contre 12 kilos en 1983.

– Le recul du vin (sa consommation a diminué de moitié en trente ans) a profité aux eaux minérales (consommation multipliée par plus de 6 en quinze ans), aux jus de fruits et aux boissons gazeuses.
Malgré cela, les Français restent parmi les plus gros consommateurs de vin du monde.

– On estime à 9,5 millions le nombre de repas pris chaque jour en restauration collective (cantines, restaurants universitaires, mais aussi repas servis à l'hôpital, etc.) et à 8,2 millions celui des repas pris en restauration commerciale (restaurants, cafés, sandwicheries, etc.).

POISSON
Chaque Guadeloupéen consomme 102 grammes de poisson par jour, ce qui le place immédiatement après le Japonais, tenant du titre.

Les plats en conserve qu'achètent les Français

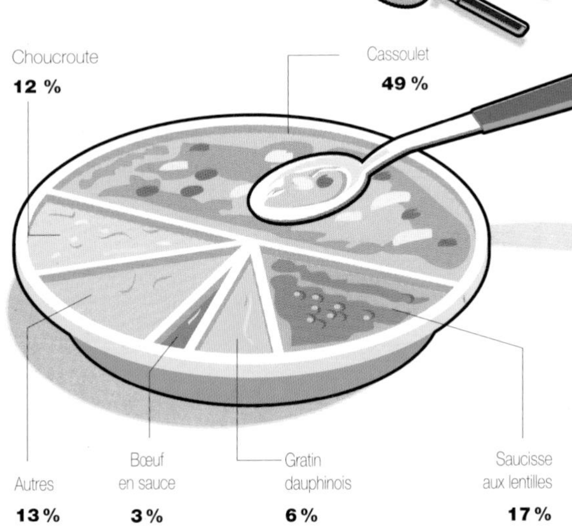

A

Calories : le hit-parade des aliments

Chocolat	470 à 570 calories pour 100 g
Cacahuètes salées	500 calories
Rillettes	350 à 450 calories
Gruyère	399 calories
Pâtes (nature)	360 calories
Côtelette d'agneau	330 calories
Côte de porc	330 calories
Camembert	280 calories
Steack de bœuf	260 calories
Baguette de pain	254 calories
Pizza	170 à 250 calories
Sardines à l'huile	238 calories
Saumon	217 calories
Porto	170 calories pour 100 ml
Jambon blanc	120 à 160 calories
Blanc de poulet	109 calories
Banane	90 calories
Petits pois	84 calories
Cabillaud	76 calories
Raisin	73 calories
Pomme de terre	70 calories
Vin rouge	60 calories pour 100 ml
Bière	40 à 60 calories pour 100 ml
Pomme	52 calories
Orange	50 calories
Abricot	50 calories
Carotte	44 calories
Haricots verts	37 calories
Melon	31 calories
Asperge	26 calories
Tomate	23 calories
Chou	22 calories
Laitue	15 calories

Dans le premier cas, nous dépensons environ 25 francs, dans le second 52 francs.

Les Français consacrent 8 % de leurs dépenses de restauration commerciale aux fast-foods. Mais, malgré les 100 millions de hamburgers consommés chaque année (274 000 par jour), la France, avec 800 000 millions de sandwichs (2 192 000 par jour), reste le pays de la baguette de pain. Après avoir évoqué le marché de la livraison à domicile (5,5 millions de francs quotidiens), constitué à 50 % par les pizzas, il reste à rappeler que le plat préféré des Français est le steak-frites (71 %), devant le gigot d'agneau (67 %) et le couscous (66 %).

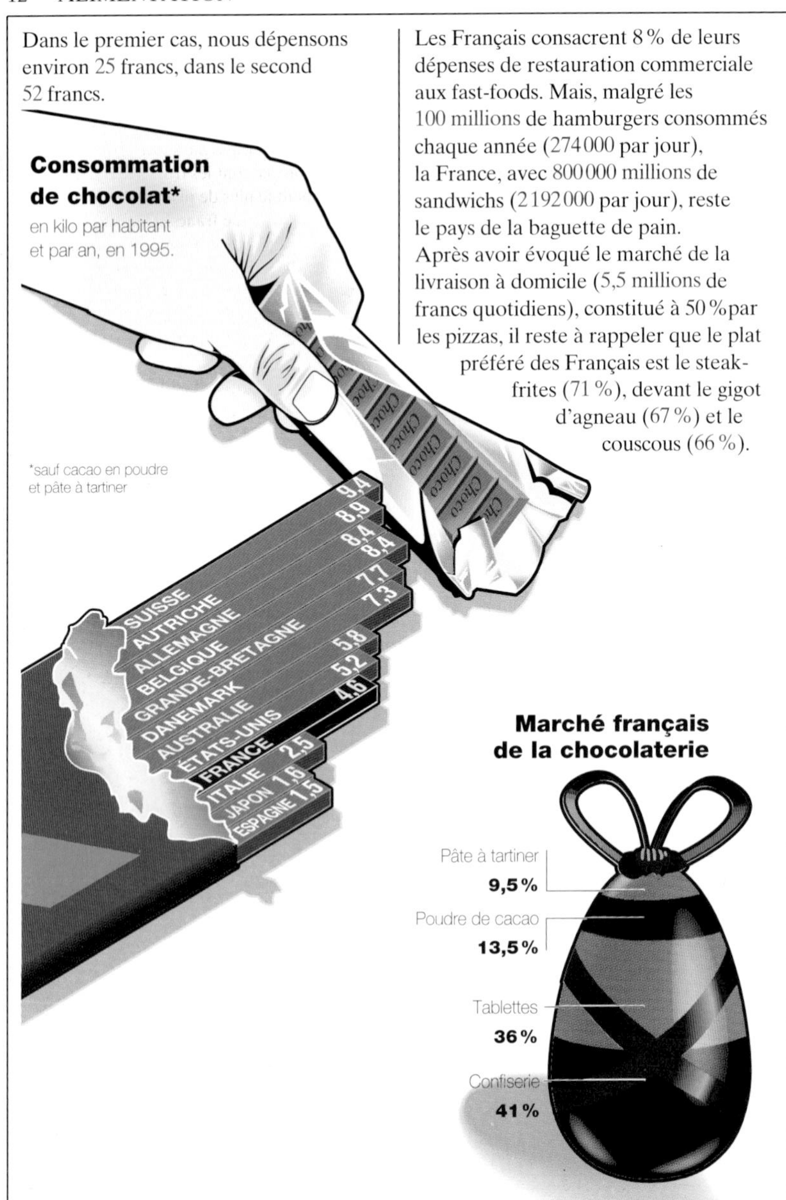

A

Un jour à Rungis

Depuis le début des années 70, Rungis a remplacé les vieilles Halles de Paris, ainsi que le marché des viandes de la Villette. Dans cette commune du Val-de-Marne, le Marché d'intérêt national (MIN) de la région parisienne s'étend sur quelque 220 hectares – l'équivalent d'un arrondissement parisien moyen.
690 commerces de gros, 410 producteurs de la région parisienne vendant eux-mêmes leurs produits et 510 entreprises de services (banques, restaurants...) y emploient en tout environ 14000 personnes.
Chaque jour, 20000 personnes viennent à Rungis acheter en gros les produits alimentaires et fleurs qui se vendent ici. Malgré la baisse due à la crise de la vache folle, près de 1500 tonnes de viande passent chaque jour à Rungis, pour un chiffre d'affaires d'environ 33 millions de francs. Les poissons et autres produits de la mer représentent, eux, environ 14 millions de francs par jour.
De très loin, ce sont les fruits et légumes qui tiennent le plus de place à Rungis, pour 40 millions de francs. Chaque jour, il se vend près de 2500 tonnes de fruits, dont plus des deux tiers provenant de l'importation (1700 tonnes). Côté légumes, seulement 650 tonnes des 2000 vendues quotidiennement proviennent de l'étranger.
150000 bottes de fleurs coupées partent chaque jour en direction des boutiques de la région parisienne, dont 75000 proviennent de l'importation.
Enfin, activité importante à Rungis, environ 100 tonnes de déchets sont récupérées quotidiennement, et 270 incinérées.

CONSOMMATION PAR JOUR

Aujourd'hui, la ration alimentaire moyenne d'un Français est de 1700 à 2000 calories par jour. Voici, toujours en moyenne, ce qu'il consomme quotidiennement :

- Riz : 10,7 g
- Biscuits et pain d'épices : 24,7 g
- Pâtes alimentaires : 18,4 g
- Pain : 165,7 g
- Pommes de terre : 197,8 g
- Légumes frais : 245,6 g
- Légumes surgelés : 17,5 g
- Bananes : 19,2 g
- Agrumes : 38,6 g
- Autres fruits frais : 122,7 g
- Confitures : 6,9 g
- Jambon : 14,6 g
- Triperie : 11,2 g

Ce que la France boit

En litres par an et par personne

Eau minérale **92**

Boissons sans alcool **69**

Vin **68**

Bière **38**

Cidre **6,8**

Spiritueux **5,4**

Vins de liqueur, vermouth **1,3**

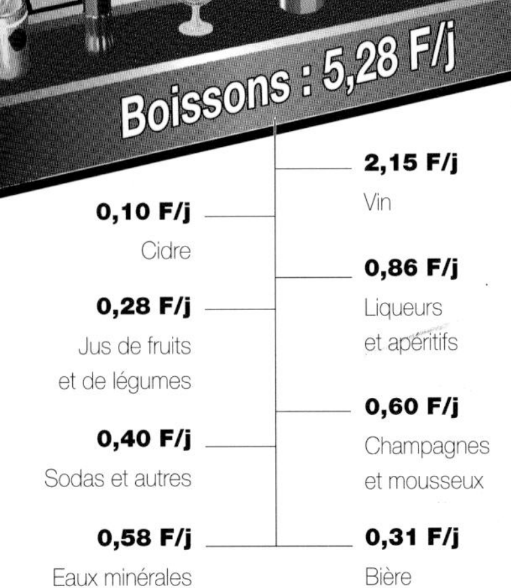

- Bœuf: 46,9 g
- Veau: 11,7 g
- Mouton, agneau: 9,9 g
- Volailles: 60,7 g
- Œufs: 38,8 g
- Poissons, crustacés, coquillages: 43,4 g
- Lait: 20 cl
- Crème fraîche: 9,8 g
- Yaourts: 47,5 g
- Fromages: 48,4 g
- Beurre: 21,1 g
- Huile: 30,2 g
- Sucre: 25,6 g
- Chocolat (poudre et tablette): 10,4 g
- Plats cuisinés surgelés: 5,5 g
- Vins courants: 11,8 cl
- Champagne: 0,55 cl
- Bière: 10,4 cl
- Eaux minérales: 25,3 cl
- Boissons gazeuses: 9,5 cl
- Café: 13 g
- Thé: 0,6 g

Une journée alimentaire

Petit déjeuner
36 % des Français boivent du café noir, 23 % du café au lait, 14 % du thé, 11 % du jus de fruits. 46 % mangent des tartines de pain, 13 % des biscottes, 12 % des céréales. 6 % ne prennent pas de petit déjeuner.

Déjeuner
70 % le prennent chez eux en semaine. 66 % mangent de la viande, 38 % des légumes, 29 % des pommes de terre, 19 % du riz, des pâtes ou de la semoule, 9 % du poisson, 3 % un sandwich. Les trois quarts mangent du pain. Au restaurant, 60 % commandent une entrée (dans la moitié des cas, des crudités), 59 % un dessert.

Dîner
27 % mangent de la viande, 23 % de la soupe (43 % des plus de 50 ans), 17 % des pommes de terre, 9 % du jambon, 9 % des œufs, 6 % d'autres charcuteries. 71 % prennent du fromage.

(Sondage CFES/BVA, octobre 1994)

Nourriture : 21,44 F/j

- **3,79 F/j** Légumes, fruits et PdT
- **1,43 F/j** Poisson et crustacés
- **6,47 F/j** Viande
- **3,40 F/j** Produits laitiers
- **0,40 F/j** Œufs
- **0,55 F/j** Glaces
- **1,01 F/j** Plats cuisinés
- **1,74 F/j** Pain
- **0,80 F/j** Pâtisserie
- **0,40 F/j** Féculents sauf PdT
- **1,45 F/j** Chocolat, confiserie

ANIMAUX DOMESTIQUES

Chaque jour, les Français dépensent environ 16 millions de francs pour l'achat d'un animal de compagnie. Cette population est, il est vrai, conséquente: 8,4 millions de chats, 10,6 millions de chiens, sans oublier les 19 millions de poissons rouges, 6 millions d'oiseaux et 1 million de rongeurs.
Ce chiffre est d'autant plus impressionnant que plus de 9 chats sur 10 et 1 chien sur 2 sont obtenus gratuitement (donnés par un voisin, par la famille, nés sur place, ou trouvés). Les achats concernent donc essentiellement les animaux de race, les plus coûteux.
170 animaux sont adoptés par jour, dans les 82 centres de la SPA en France, dont 10 sur le seul site de Gennevilliers, le plus important en France. Mais ce chiffre peut être multiplié par 2,5 le week-end. Seuls 4 % des chats et 6 % des chiens viennent de la SPA.
La France détient le record mondial du taux de possession d'animal domestique: 5,4 millions de foyers (25 % des ménages en France) possèdent au moins un chat et 8,2 millions (38 %) au moins un chien.

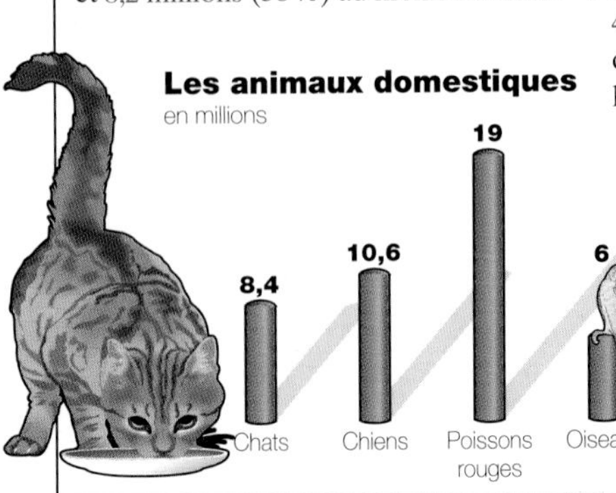

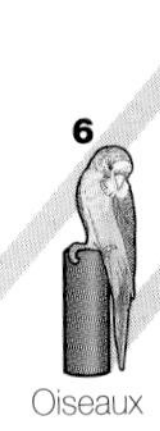

Zoom sur Paris

Les chiens

On recense 200 000 chiens à Paris, et 20 % sont inciviques, comprendre par là qu'ils ne font pas leurs besoins dans le caniveau ou tout autre endroit prévu à cet effet.
Du coup, les 72 caninettes, appelées aussi motocrottes, ramassent 10 tonnes de déjections canines par jour, soit seulement 15 % des déjections. Chaque chien coûte 33 centimes par jour et par contribuable, et le coût global du ramassage des crottes pour la Ville de Paris est de 115 000 francs.
Presque 2 Parisiens sont hospitalisés chaque jour à cause d'une glissade sur une crotte, soit 600 par an. 374 contraventions ont été dressées en 1996 à des propriétaires de chiens inciviques, soit à peine plus d'une par jour.

Naissances
On estime à 2 000 le nombre de chiots qui naissent chaque jour en France – estimation faite à partir du nombre de tatouages effectués chaque année. Il est par contre tout à fait impossible de chiffrer les naissances de chatons, car rien n'oblige leurs propriétaires à les déclarer.

Abandons
411 chiens et chats sont trouvés errants chaque jour, et 274 sont abandonnés par leurs propriétaires auprès des œuvres de protection des animaux. À elle seule, la SPA recueille 200 animaux par jour, et le centre de Gennevilliers 25.

Alimentation
La consommation d'aliments industriels pour chiens et chats est de 3 000 tonnes par jour, soit

environ 200 grammes par chien ou chat (76 % des chats sont nourris principalement avec des boîtes).
8 propriétaires sur 10 ont régulièrement mais non exclusivement recours aux aliments préparés industriellement, boîtes ou autres croquettes, et dépensent environ 1,6 franc chaque jour pour ce type d'alimentation.
Les propriétaires de chien dépensent plus pour l'alimentation de leurs compagnons (environ 7 francs par jour) que ceux qui possèdent un chat (2 francs).

Santé et entretien

Quelque 3 millions sont consacrés quotidiennement à la santé et l'entretien des chiens et chats, et encore 1,4 million pour les assurances de ces animaux.
Ce sont ainsi 80000 chiens et 3000 chats qui ont leur propre assurance maladie.
Les propriétaires de chien dépensent 370 francs par an (soit 1 franc par jour) chez le vétérinaire.
96 % des chats ne vont jamais chez le toiletteur, et 46 % des maîtres toilettent leur chien eux-mêmes.

ASSURANCES

On recense chaque jour en France 27397 sinistres, dont 13700 accidents de voitures, 822 cambriolages et 394 incendies, dégâts des eaux et autres dommages dans les logements.
Le chiffre d'affaires mondial des assurances est de 2602465753 francs.
L'ensemble des cotisations en France est de 521095890 francs par jour en France, dont les plus importantes pour les automobiles (243 millions F/jour), suivies par les multirisques habitation (75 millions de F/jour) et viennent seulement après les biens des entreprises (67,67 millions de F/jour).

AVIONS

Chaque jour, 4044 appareils atterrissent et décollent du sol français, emmenant avec eux 267797 passagers, auxquels les compagnies françaises servent 65205 repas. De par le monde, ce sont

Un jour avec Federal Express

Fedex (Federal Express) est la première société de transport express au monde. Cette entreprise, de par sa vocation, est présente dans 211 pays. 325 aéroports dans le monde accueillent chaque jour l'un des 583 avions de la compagnie piloté par l'un des 3600 pilotes. 41000 véhicules prennent ensuite la relève pour mener à bon port les 2,8 millions de colis traités chaque jour. Fedex peut transporter jusqu'à 7 millions de tonnes de marchandises par jour.
Depuis la France, 8 avions décollent chaque jour pour desservir l'un des centres de tri (ou « hub ») des 209 pays desservis. Le hub de Roissy-Charles-de-Gaulle traite 3000 tonnes de marchandises par jour, soit 9000 colis à l'heure. Près de 620 personnes travaillent en France pour le bon acheminement de ces colis.
Fedex convoie surtout des lettres, des colis et des contrats urgents, mais peut aussi transporter par avion – pour les besoins d'un film – un éléphant ou un tigre blanc. Ou même, aussi, une baleine qui, après les tempêtes de l'océan, se retrouve prise dans les affres des trous d'air. Acheminer une turbine de Concorde ou un tableau de 3 mètres sur 6 peut aussi faire partie de ses missions.
Cette entreprise est leader du marché avec un chiffre d'affaires de 144684931 francs par jour, dont 38876712 francs pour les expéditions internationales.

A

UNE JOURNÉE À ROISSY

Un peu de brouhaha ici et là, et pourtant, quand on entre dans le hall de Roissy, il règne une impression de calme. On ne soupçonne pas que 500 avions décollent chaque jour ou que s'y croisent 85000 passagers, avec des pointes à 125000. Venus seuls pour la plupart (à 86,4 %), ils ont rejoint l'aéroport soit dans l'une des 8500 voitures qui séjournent quotidiennement dans les 16000 places de parking, soit en RER (pour 15000 d'entre eux), soit par le TGV (2000 passagers) ou encore en taxi (ils sont 8000 dans ce cas). En attendant de décoller, ils peuvent profiter de l'une des 19000 lignes de téléphone installées, changer de l'argent (4000 transactions effectuées chaque jour), faire des achats: des alcools et des cigarettes, mais aussi des cravates (il s'en vend 315 par jour), des carrés de soie (80 sont quotidiennement achetés), mais si peu de caviar (à peine 3,8 kilos). À la nuit tombée, pour occuper le temps, ils peuvent également essayer de s'évader en observant la magie des 12000 feux de balisage qui dessinent les pistes. Roissy (3e rang européen) concentre l'activité de 492 entreprises, 45000 salariés permanents et 80 compagnies aériennes sur une étendue de 3200 hectares (soit le tiers de Paris intra-muros).

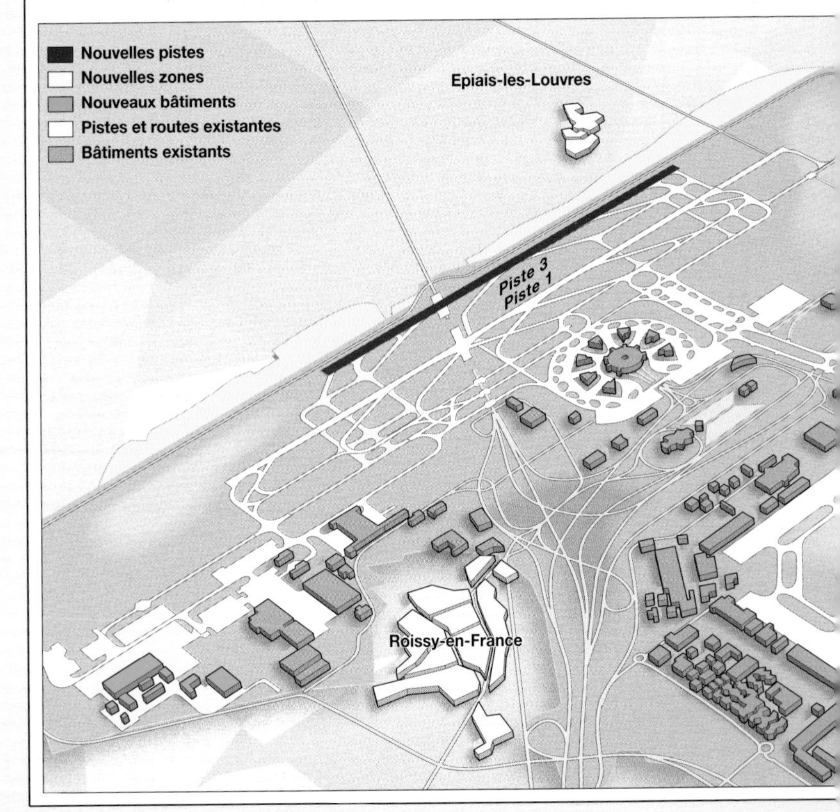

Pour assurer la sécurité générale des 3 aérogares, surveiller la circulation sur les 110 kilomètres de route et contrôler les passagers, les 1000 fonctionnaires de la Direction du contrôle de l'immigration (l'ex-Police de l'air et des frontières) se relaient en permanence. Chaque jour, ils refoulent en moyenne 14 passagers indésirables sur le territoire ou en situation irrégulière, arrêtent 5 porteurs de faux documents et 3 individus recherchés. Et, une fois tous les 20 jours, ils interpellent un mineur en fugue. 220 «objets suspects» sont retirés quotidiennement au cours du filtrage des bagages à main. Ces fonctionnaires travaillent de concert avec 801 agents des Douanes. Ceux-ci sont chargés de vérifier les 2200 tonnes de fret qui transitent quotidiennement par Roissy. À cette occasion, comme lors de la vérification des bagages des passagers, ils sont amenés à constater un peu plus de 20 affaires contentieuses chaque jour (hors stupéfiants). Quant aux saisies de drogues, il y en a une par jour. La moyenne des prises est de 1,930 kilo. La Direction du contrôle de l'immigration assiste enfin le Service de protection des hautes personnalités lors des voyages officiels: chaque jour, 22 chefs d'État, Premiers ministres ou ministres, accompagnés de leurs délégations, passent par les salons d'accueil officiels des aéroports de Paris-Roissy.

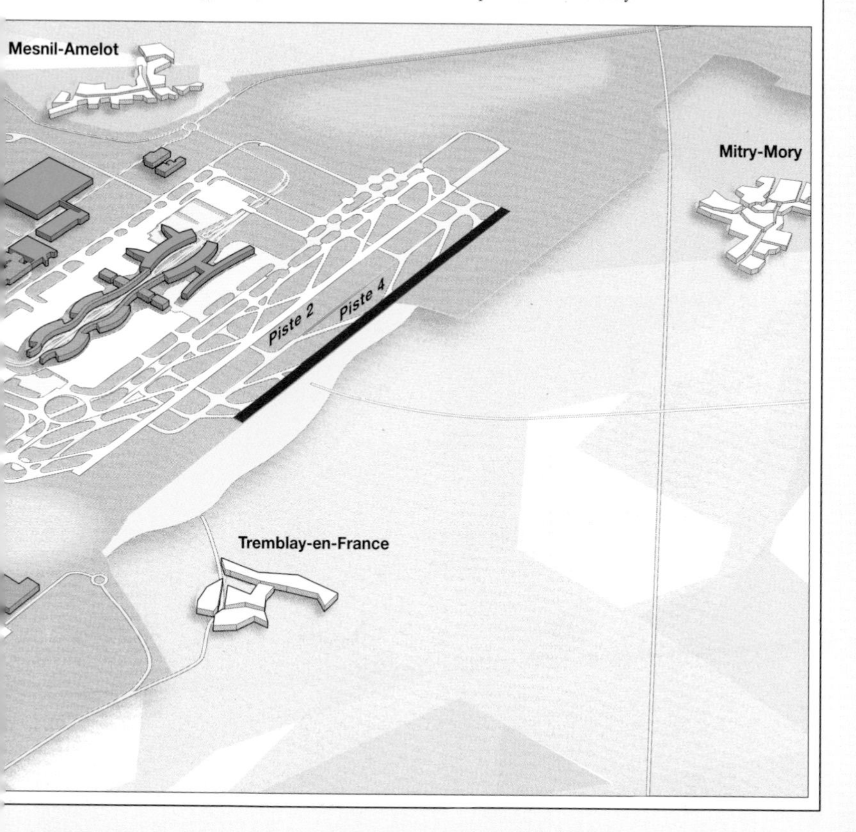

3 528 767 passagers qui prennent l'air chaque jour, emportant avec eux 58 178 tonnes de bagages.

BANQUES

Chèques, virements et prélèvements
27 millions d'opérations (dont 13 millions pour les chèques, 5 millions pour les virements et 3 millions pour les avis de prélèvement) sont traitées chaque jour dans les 25 479 guichets permanents du système bancaire. Les 409 791 employés des réseaux bancaires brassent quelque 260 milliards de francs, dont 204 milliards rien qu'en virements, 38 milliards en chèques et 7 milliards en avis de prélèvement.
Les clients de La Poste émettent chaque jour près de 2 millions de chèques pour un montant d'environ 2 milliards de francs.
Dans le même temps, ce sont 15 915 chèques en bois qui sont refusés par les banques et 1 100 par La Poste.

Cartes bancaires
L'ensemble de ces opérations ne doit cependant pas faire oublier que le titre de paiement le plus utilisé à l'heure actuelle est la carte bancaire. On en dénombre pas moins de 27 200 000 en circulation.
Chaque jour, 7 586 nouvelles cartes bancaires sont mises en circulation et 33 500 sont renouvelées.
Une carte bancaire est utilisée, en moyenne, une fois tous les trois jours, en France.
L'activité quotidienne des 24 500 distributeurs de billets en France est d'ailleurs impressionnante : plus de 2 millions de retraits d'espèces, pour un montant de 830 millions de francs.
Les 545 000 commerçants affiliés reçoivent 6 millions de paiements par cartes bancaires pour un total de 1,8 milliard de francs.
Mais ils enregistrent environ 400 000 francs de pertes dues à des transactions frauduleuses avec des cartes bancaires perdues ou volées.
Le taux de fraude national (paiements avec des cartes bancaires volées, perdues ou falsifiées) est de 0,023 %.
L'utilisation des services bancaires par Minitel semble être rentrée dans les mœurs puisque l'on dénombre 69 041 heures de connexion chaque jour entre les Français et leur banque.

BEAUTÉ-HYGIÈNE

Avec 2,33 francs par jour consacrés aux produits de parfumerie, de beauté et de toilette, il est sans doute excessif de dire que les Français sont fous de leur corps. Précisons, cependant, que ce chiffre ne comprend ni les savons, ni les crèmes à raser, ni le dentifrice.

Toilette
En matière d'hygiène corporelle, nous n'avons plus rien à envier à nos voisins européens. Certes, la consommation de savon n'est en moyenne que de 1,9 gramme par personne et par jour (contre 3,5 au Royaume-Uni et 2,7 en Allemagne). Mais c'est qu'elle ne tient pas compte de celle de savon de Marseille : environ 1,6 gramme, soit 10 fois plus qu'en Grande-Bretagne ou en Allemagne.
4 personnes sur 10 déclarent prendre une douche par jour (moyenne globale : 5,2 douches par semaine). 75 % des Français déclarent se laver les dents 2 fois par jour. La consommation moyenne de dentifrice est de 3,9 tubes par an (contre 2,9 en Grande-Bretagne, 3,3 en Italie, mais 4,5 en Espagne et en Belgique, 4,9 en Allemagne).

Sous-vêtements
56 % des Français changent de slip tous les jours (il s'en vend quotidiennement 178213), contre 49 % des Espagnols et 45 % des Allemands. 94 % des Françaises disent mettre une petite culotte propre tous les jours (elles en achètent 314287), contre 96 % des Espagnoles et 70 % des Allemandes.

Parfumerie
Le chiffre d'affaires de l'industrie française de la parfumerie a dépassé 170 millions de francs par jour en 1996 (dont un peu plus de la moitié pour l'exportation). Sur le marché intérieur, les parfums proprement dits représentent 20,8 %, les produits de beauté 36,2 %, les produits capillaires 23 %, les produits de toilette 19,5 %… Il y a quarante ans, 1 femme sur 10 se parfumait, on en compte aujourd'hui 7 sur 10.

Coiffure
Les Français ont dépensé dans les salons de coiffure 95 millions de francs par jour

en 1993 (soit 1,6 franc par personne). 18,5 % des femmes fréquentent leur salon tous les quinze jours, 31,4 % tous les mois, 21,2 % tous les deux mois, 18,8 % tous les trois mois, 5,6 % tous les six mois et 4,5 % tous les ans. Le montant de la fiche moyenne dans les salons de coiffure dames était de 173 francs en 1994.

Chirurgie esthétique
On estime que 274 opérations de chirurgie esthétique sont effectuées chaque jour.

Habillement
Un Français dépense en moyenne 11,78 francs par jour pour son habillement. Une garde-robe type contient une centaine de vêtements, dont 25 % est renouvelée chaque année. Produit le plus vendu par jour : la chaussette, avec 443613 paires pour les hommes et 354917 pour les femmes. Ces dernières, par ailleurs, achètent 79784 paires de bas et de collants.

Deuxième poste d'achat : les sous-vêtements. 314287 culottes et 133838 soutiens-gorge sont vendus chaque jour (soit en moyenne 4 slips ou culottes et 2 soutiens-gorge par an) contre 178213 slips et caleçons pour les hommes.
Les hommes achètent peu de costumes (5594 par jour), mais beaucoup de chemises (145731), de pantalons (95597) et de vestes (15421).
Les femmes achètent moins de robes (50131) qu'auparavant, mais plus de jupes (65531) et de tailleurs (12246). Avec 78542 pantalons vendus chaque jour, cet article est devenu le vêtement féminin par excellence. Les femmes complètent leur toilette par des chemisiers : 94221 vendus quotidiennement.
Quant aux vêtements de détente, le short est presque autant prisé par les femmes (18282) que par les hommes (19589). Mais elles investissent davantage dans le maillot de bain (24524) que leur mari (17293).
Enfin, 876712 paires de chaussures sont vendues par jour. Là aussi, la dépense est majoritairement féminine : les femmes achètent 6 paires de chaussures par an, les hommes 3,5.

BÉBÉS

Chaque jour, plus de 2010 bébés, dont 27 jumeaux, naissent en France. Environ 300 femmes accouchent par césarienne. 65 fécondations in vitro sont réalisées chaque jour. 12 grossesses issues de méthodes de procréation médicalement assistées vont à leur terme. Pas loin de 2 femmes accouchent « sous X » (souhaitant rester anonymes dans le but d'abandonner leur bébé).
Il naît 2 enfants mongoliens quotidiennement. Environ 7,4 millions de couches jetables sont utilisées par les mamans pour changer les 2 millions de bébés de 0 à 3 ans, soit environ

4 couches par bébé et par jour. Seules 2 % des mères françaises utilisent encore des langes lavables en coton, alors que les Américaines sont nombreuses à les utiliser, profitant ainsi des services de location qui récupèrent les couches sales à domicile pour les rendre propres la semaine suivante. Les Japonaises sont sans nul doute les plus pointilleuses puisqu'elles changent leur bébé en moyenne toutes les 2 heures, soit environ 14 fois par jour ! 36 % des aliments consommés par les bébés de 0 à 3 ans sont achetés en grandes surfaces ou en pharmacies. Plus de 1,6 million de boîtes de lait infantile, 1 million de petits pots et plats préparés, 1,2 million de paquets de céréales et autres petits déjeuners sont vendus chaque jour, pour une valeur de plus de 9 millions de francs. Chaque jour, environ 380000 enfants vont chez une nourrice, 200000 à la crèche et 63000 sont pris en charge à domicile.

Les dépenses de l'État en un jour

(en millions de francs)

- 967,4 — Education nationale, enseignement supérieur et recherche
- 666,7 — Défense
- 637,3 — Intérêts de la dette
- 472,6 — Travail et affaires sociales
- 339,6 — Equipement, logement, transport et tourisme
- 207,4 — Intérieur et décentralisation

LE BUDGET DE L'ÉTAT 1997

Chaque jour, l'État dépense 4,9 milliards de francs, dont 1 milliard de charges communes aux différents ministères. Voilà où vont les 3,9 milliards restants:

- Affaires étrangères et Coopération: 58 millions de francs.
- Agriculture, Pêche et Alimentation: 96,5 millions.
- Aménagement du territoire, Ville et Intégration: 8,1 millions.
- Anciens Combattants et Victimes de guerre: 73,5 millions.

Il y a 25 ans, le budget de la France…

En 1972, le budget de la France était de 216,7 milliards de francs. Ramené en francs actuels, il serait de 1 014 milliards de francs (une dépense quotidienne de 2,8 milliards)… soit près de 50 % de moins que le budget de 1997. Les différences entre les deux budgets ne s'arrêtent pas là. «Trente glorieuses» obligent, en 1972, c'était l'action économique qui était le premier poste des dépenses gouvernementales, accaparant 22,1 % du budget. Aujourd'hui, celui-ci est en sixième position, avec à peine 11,3 % des dépenses. Devant lui, on trouve le gros poste regroupant l'Éducation, la Formation et la Culture. Cet ensemble est la première source des dépenses de 1997. L'État y consacre 22,6 % de son budget (contre 21,4 % en 1972). Viennent ensuite la Défense, 14,1 % des dépenses (16,3 % en 1972), puis l'Action sociale, la Santé, l'Emploi et le Logement, qui représente 13 % des dépenses cette année (contre 20,3 % en 1972). Le poste qui a le plus progressé en vingt-cinq ans est celui de la dette. En 1972, il représentait 5,6 % du budget de l'État. Aujourd'hui, il atteint 12,5 % des dépenses. Idem pour la contribution au budget européen, inexistante en 1972, et qui coûte en 1997 72 milliards de francs à l'État, soit 4,9 % de son budget. Autre évolution notable, les subventions et les aides aux collectivités locales, qui représentent 11,6 % du budget de 1997. La somme investie dans la sécurité (la Police et la Justice) n'a, elle aussi, cessé d'augmenter. En 1972, l'État y consacrait 4,76 % de son budget; en 1997, le taux est passé à 10 %.

- Commerce et Artisanat: 1,2 million.
- Culture: 41,3 millions.
- Éducation nationale, Enseignement supérieur et Recherche: 967,4 millions.
- Environnement: 5,1 millions.
- Équipement, Logement, Transport et Tourisme: 339,6 millions.
- Industrie, Poste et Télécommunications: 68,9 millions.
- Intérieur et Décentralisation: 207,4 millions.
- Jeunesse et Sports : 8 millions.
- Justice: 65,5 millions.
- Outre-Mer: 13,3 millions.
- Services du Premier ministre: 12,3 millions.
- Services financiers: 125,6 millions.
- Travail et Affaires sociales: 472,6 millions.
- Défense: 666,7 millions.
- Intérêts de la dette: 637,3 millions.

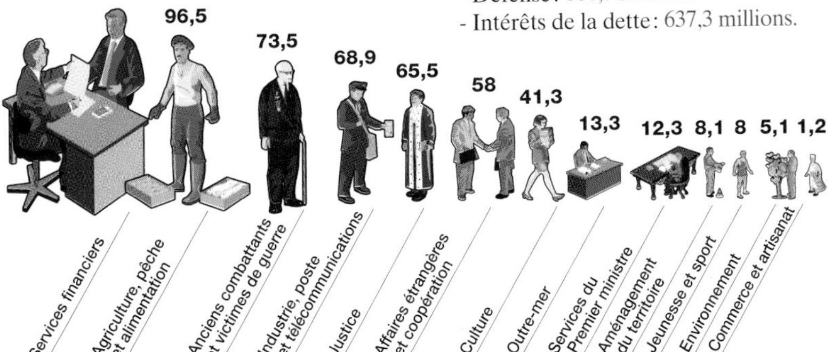

CINÉMA

Fréquentation
373 425 personnes sont allées chaque jour au cinéma, en 1996, pour voir l'un des 391 films sortis cette année-là sur les écrans nationaux, dont 160 films français, 142 films américains et 89 films d'autres nationalités.
Les films français enregistrent ainsi 139 890 entrées quotidiennes, contre 203 014 pour les films américains, et 19 315 pour les films britanniques. C'est au mois de décembre que les Français ont fréquenté le plus souvent les cinémas, avec 475 161 entrées par jour, tandis que juillet n'enregistrait que 21 315 entrées. 23,3 % des Français qui vont au cinéma le font le samedi.

Et à l'étranger
À titre indicatif, avec près de 2 millions d'entrées quotidiennes, la fréquentation des salles dans les quinze pays de l'Union européenne (370,2 millions d'habitants) reste loin derrière celle, impressionnante, qui a cours en Inde (934 millions d'habitants) : 20 millions d'entrées !

Recettes
13014247 francs. C'est le chiffre des recettes d'une journée dans l'ensemble des 4519 salles de cinéma françaises. Les 12985 cinémas indiens, malgré leur record de fréquentation mais en raison du prix modique du billet, font environ 7,5 millions de francs de recette par jour.

Production
104 films au budget majoritairement français ont été produits en 1996, soit un investissement de 6 919 178 francs par jour. Une journée de tournage coûte entre 150 000 et 500 000 francs.
Bien qu'en pleine expansion, la production de films français (1 film produit tous les 4 jours en moyenne) est loin derrière celle des films japonais (presque 1 film par jour) et indiens (plus de 2 films par jour).

Zoom sur Paris

La fréquentation des salles

67 186 spectateurs se rendent quotidiennement dans les salles parisiennes. L'UGC Ciné Cité Les Halles est le premier complexe parisien, avec ses 15 écrans. En termes de fréquentation, il est le premier complexe français, puisqu'il reçoit tous les jours 4 782 spectateurs. Il est suivi du Gaumont Parnasse (2e de l'Hexagone), avec 3 668 entrées, du Pathé Wepler avec 3 037 entrées, et du mythique Rex avec ses 2 776 spectateurs quotidiens. Environ 300 films sont programmés tous les mercredis dans les salles de la capitale.

C

Les meilleures entrées

En 1996, 14 films ont réalisé plus de 2 millions d'entrées, dont *Pédale douce* et *Le Jaguar* pour les Français, le film belge *Le huitième jour*, et *Independance Day*, *Seven* et *Le Bossu de Notre-Dame* pour les Américains. 34 films ont fait plus de 1 million d'entrées, dont *Beaumarchais*, *Microcosmos*, *Ridicule* et *Un air de famille* pour les Français, et *Rock*, *Casino* et *Babe* pour les Américains. 66 films ont comptabilisé plus de 500000 entrées, dont *Les Voleurs*, *Les Caprices d'un fleuve* et *Le Plus Beau Métier du monde* pour les Français, et *Strip-tease*, *Showgirls* et *Diabolique* pour les Américains.

COMMERCE

L'ensemble du commerce de détail réalise un chiffre d'affaires journalier de 2,2 milliards de francs et les grands pôles de distribution affichent, eux, un chiffre d'affaires quotidien de plus de 1 milliard de francs. L'essor des 8414 « supers » et autres « hypers » installés aux portes de nos villes a bouleversé la structure du commerce français.
En France, les commerces (grande distribution, épicerie, boutique…) emploient plus de 2,5 millions de salariés. Chaque jour, 220 entreprises sont créées, 40 reprises, 48 entreprises en cessation d'activité sont réactivées et 64 emplois créés. Dans le même temps, 7 commerces meurent.
La force des grandes structures se trouve dans le nombre de produits qu'elles proposent (50000), alors qu'un épicier de quartier en met seulement 1500 à la disposition de sa clientèle. Les grandes surfaces vendent 60 % des produits alimentaires et 20 % de produits non alimentaires.

C

Un jour aux Galeries Lafayette Haussmann

Ce pourrait être une ville de 80 000 habitants, 83 333 exactement, qui, chaque jour, déambulent sur une superficie de 50 000 mètres carrés, soit les deux tiers de la surface de la place de la Concorde. Une ville avec ses touristes étrangers, 3 194, de 120 nationalités différentes. Avec ses employés, 4 375 personnes, pour l'essentiel des femmes, et ses services techniques regroupant une centaine de métiers (vitriers, décorateurs, cuisiniers...). Avec ses pompiers (50), ses interprètes (capables d'assurer 25 langues dont le laotien, le chinois, l'hébreu, le danois et l'arabe).
Ce sont en fait les Galeries Lafayette, l'un des plus prestigieux grands magasins de Paris. Un monde qui consomme chaque jour, en électricité, 83 500 kWh, soit la consommation d'une ville de 30 000 habitants. Qui brasse pour la climatisation 20 400 000 mètres cubes par jour. Qui crée pour sa propre collection 11 500 pièces par jour. Et qui vend bien sûr. Des articles (31 950 par jour) et des services (de la conseillère vestimentaire à l'agence de voyages, en passant par l'habitat sur mesure). Le tout représente un chiffre d'affaires quotidien de 11 182 108 francs.

Un jour à Drouot

Dans ce véritable temple aux trésors niché au cœur de Paris se célèbre – du lundi au samedi – un double culte: celui de l'art et de l'argent. 1923 objets sont vendus chaque jour, du tableau de maître au sac de Pauline Bonaparte, en passant par des antiquités égyptiennes ou une lettre de Baudelaire. 10,7 millions avec les frais: c'est le produit total vendu par Drouot-Commissaires-priseurs de Paris, chaque jour de 1996.
6000 à 10000 personnes déambulent quotidiennement dans les 28 salles d'exposition: les 16 salles de l'hôtel des ventes de Drouot-Richelieu (tableaux, meubles et objets d'art), les 2 salles de Drouot-Montaigne (ventes de prestige), les 6 de Drouot-Nord (meubles et objets courants) et les 4 salles de Drouot-Véhicules (voitures particulières, véhicules utilitaires et matériel de travaux publics).
Drouot, c'est 110 commissaires-priseurs regroupés en 67 études, 80 salariés employés par Drouot SA et environ 2000 personnes travaillant directement avec l'hôtel des ventes (experts, commissionnaires, transporteurs, imprimeurs, photographes, restaurateurs d'objets d'art...).
Drouot, c'est aussi 2 journaux spécialisés: *La Gazette de l'Hôtel Drouot*, l'hebdomadaire des ventes publiques, tiré à 64000 exemplaires, et *Le Moniteur des ventes*, bihebdomadaire d'annonces des ventes aux enchères, tiré à 20000 exemplaires. On y lit les résultats des ventes passées, l'annonce des ventes à venir (10 par jour environ, dont un peu plus de 6 ventes cataloguées à Drouot-Richelieu), des commentaires et des analyses sur le marché de l'art.
Drouot, c'est enfin 80 visites-conférences annuelles suivies par 110 adhérents (Drouot-Mécénat), 71 cours d'histoire de l'art rassemblant 600 élèves (Drouot-Formation et les «Jeudis de Drouot») et un service d'estimation ouvert au public (Drouot-Estimation), auquel ont recours 105 personnes chaque jour.

Commerce extérieur
En matière de commerce extérieur, nos exportations de biens ont atteint, en 1996, 4092 millions de francs par jour, alors que nos importations représentaient 3904 millions de francs, soit un solde positif quotidien de 188 millions de francs.
Mais la France est aussi grande exportatrice de services: 680 millions de francs (contre 455 d'importations), soit un excédent de 225 millions de francs.
Solde positif encore en ce qui concerne le tourisme, puisque les dépenses touristiques des étrangers en France (395 millions de francs) ont dépassé quotidiennement de 148 millions de francs les dépenses des Français à l'étranger (247 millions de francs).

CORPS HUMAIN

Notre organisme est une usine qui ne cesse de travailler. Chaque jour, il est capable de prouesses étonnantes – autant d'exploits qu'il peut renouveler sans discontinuer 30000 jours consécutifs (chez ceux qui dépassent les 82 ans).

Le cœur
Il bat environ 108000 fois par jour; au repos, il charrie 8600 litres de sang par jour, soit 15 tonnes.

Les poumons
Ils « respirent » 26000 fois par jour. La masse d'air circulant dans les poumons étant de 0,5 litre à chaque mouvement respiratoire, nous avons besoin de 12000 litres d'air par jour.

Les reins
Ils filtrent et épurent 1700 litres de sang par jour (une cabine téléphonique remplie aux trois quarts). La production quotidienne d'urine est de 1,5 litre (nous passons plus de 2 minutes par jour à uriner), si bien que la France entière élimine quotidiennement 84 millions de litres d'urine, soit les 20 arrondissements de Paris recouverts de 1 millimètre d'urine!

La salive
Nous en sécrétons en moyenne 1 litre par jour.

L'estomac
Pour la digestion, l'estomac sécrète près de 1,5 litre de suc gastrique par jour.

Le foie
Il fabrique 1 litre de bile, qui est recueillie dans la vésicule biliaire; cette vésicule se remplit et se vidange dans l'intestin 25 fois par jour; la production des sucs pancréatiques,

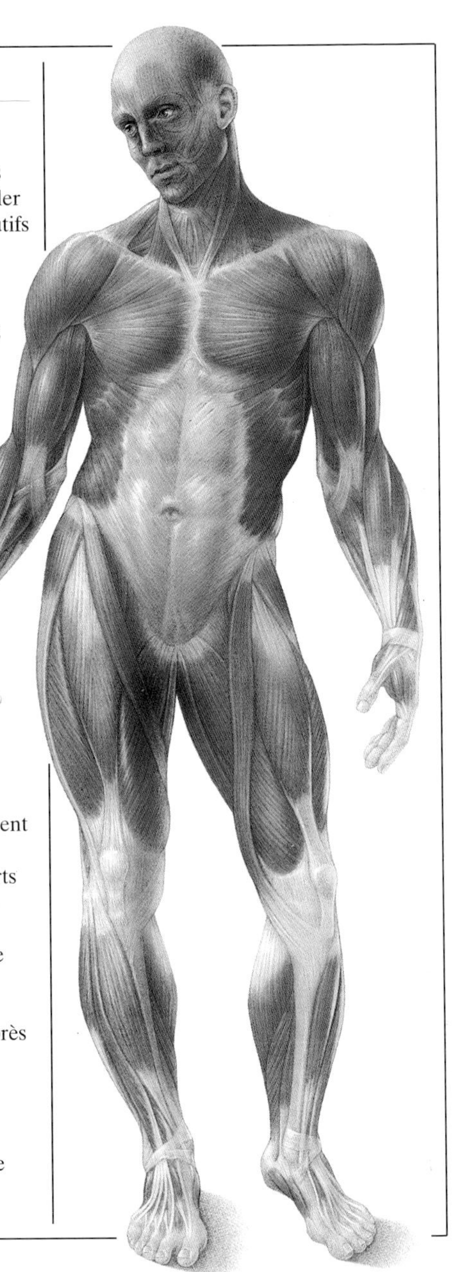

destinés aussi à la digestion, est de 2 litres par jour.
Le poids des selles est, en moyenne, de 150 grammes par jour; la France entière produit journellement 8,4 millions de kilos d'excréments, soit environ le poids de la tour Eiffel.
Les cils
Ils battent 11500 fois par jour (un cillement toutes les 5 secondes, sauf quand nous dormons); les glandes lacrymales produisent chacune l'équivalent de 3 dés à coudre de larmes par jour (1 centilitre).
La sueur
Un adulte vaquant normalement à ses occupations sous climat tempéré en élimine 0,7 litre par jour. Un mineur peut suer jusqu'à 10 litres, un individu vivant sous les tropiques, 4 litres.
Les spermatozoïdes
180 millions de spermatozoïdes sont expulsés à chaque éjaculation.
Les calories
L'organisme a besoin de 1800 calories par jour pour un adulte inactif, 5500 pour un travailleur de force.
Les neurones
Leur perte (sur un capital de départ de 14 milliards de neurones) se chiffre à 10000 par jour à 20 ans, 50000 à 40 ans et 100000 à 90 ans.
Les cheveux
Ils poussent de 0,35 millimètre par jour. Nous en avons de 100000 à 150000 et nous en perdons chaque jour : 90 chez l'enfant, 35 à 100 chez l'adulte, 120 chez le vieillard (sans qu'ils soient, eux, renouvelés). La barbe pousse de 0,4 millimètre (soit 14 centimètres par an).
Les poils (entre 1 et 5 millions sur le corps) ont une croissance moyenne de 0,2 millimètre par jour.
Les ongles
Leur croissance est de 0,15 millimètre par jour; ceux des doigts longs poussent plus vite que ceux des doigts courts; ceux des mains vont deux à trois fois plus vite que ceux des pieds.
Chaque jour, nous effectuons en moyenne 19000 pas (mais sans doute avec de grandes différences individuelles).
Chaque nuit, nous effectuons en moyenne 30 changements de position, avec une durée de 14 minutes pour chacune d'elles.

DÉFENSE

Énorme machine, la défense française est grosse consommatrice de budgets publics. Chaque jour de 1997, la France consacre 523 millions de francs (hors retraites) pour payer, entraîner et équiper les 574116 hommes et femmes travaillant pour ses armées.

D

UN JOUR SUR LE « CHARLES-DE-GAULLE »

Quand on aime, on compte quand même, et le nouveau fleuron de la marine française aura coûté, sans ses avions, 12 milliards de francs. À rapporter à l'utilité politico-diplomatique d'un tel engin, qui permettra à la France d'affirmer sa présence sur toutes les mers du globe, sans restriction d'aucune sorte, et surtout pas énergétique, grâce à sa propulsion nucléaire. Lors de chaque journée que le « Charles-de-Gaulle » passera en mer à partir de ses premiers essais, l'an prochain, il déplacera avec lui la population d'une petite ville française : 1 850 marins. Mais la structure démographique sera particulière, puisque seules 10 femmes seront embarquées. La mer, ça creuse : les boulangers du bord cuiront chaque jour 600 kilos de pain frais et de viennoiseries, auxquels s'ajouteront 5 tonnes de nourritures diverses. Ce n'est qu'au bout de 45 jours que les vivres viendront à manquer, mais les mousses n'auront rien à craindre : au cours de la première escale, 48 heures et 20 paires de (gros) bras seront suffisants pour embarquer les 250 tonnes de nourriture nécessaires pour une autre tranche de 45 journées de mer. Pour la propreté, rien à craindre : 500 tonnes d'eau de mer quotidiennement dessalée assurent 3 douches par homme et par jour. Ce ne sera pourtant pas la vie de château, même si la marine a particulièrement soigné le cadre de vie de son équipage. Cette machine de guerre devra surtout faire voler à terme une trentaine de Rafale, 5 hélicoptères et 2 avions de veille radar Hawkeye. Entreposés dans les quatre hectares et demi de hangars situés sous le pont d'envol blindé, tous ces appareils auront des missions spécifiques. La première flottille de 7 Rafale sera opérationnelle en juin 2001, un an après que le premier de ces avions sera arrivé à bord. En septembre 2002, ces Rafale seront 12. Spécialisés dans la défense aérienne, ils cohabiteront pendant plusieurs années avec les super-Etendard d'attaque au sol, dont le remplacement sera terminé en 2015. Si les prévisions actuelles sont respectées, la marine disposera alors de 60 Rafale et de 3 Hawkeye. Et peut-être du second porte-avions neuf qu'elle appelle de ses vœux. Mais la décision n'est pas prise…

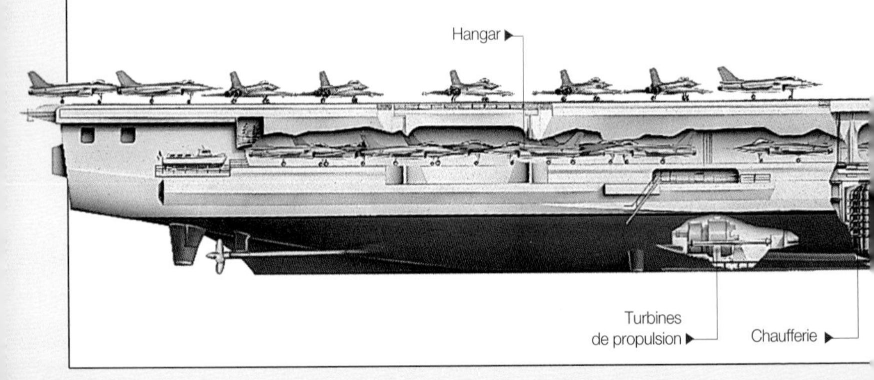

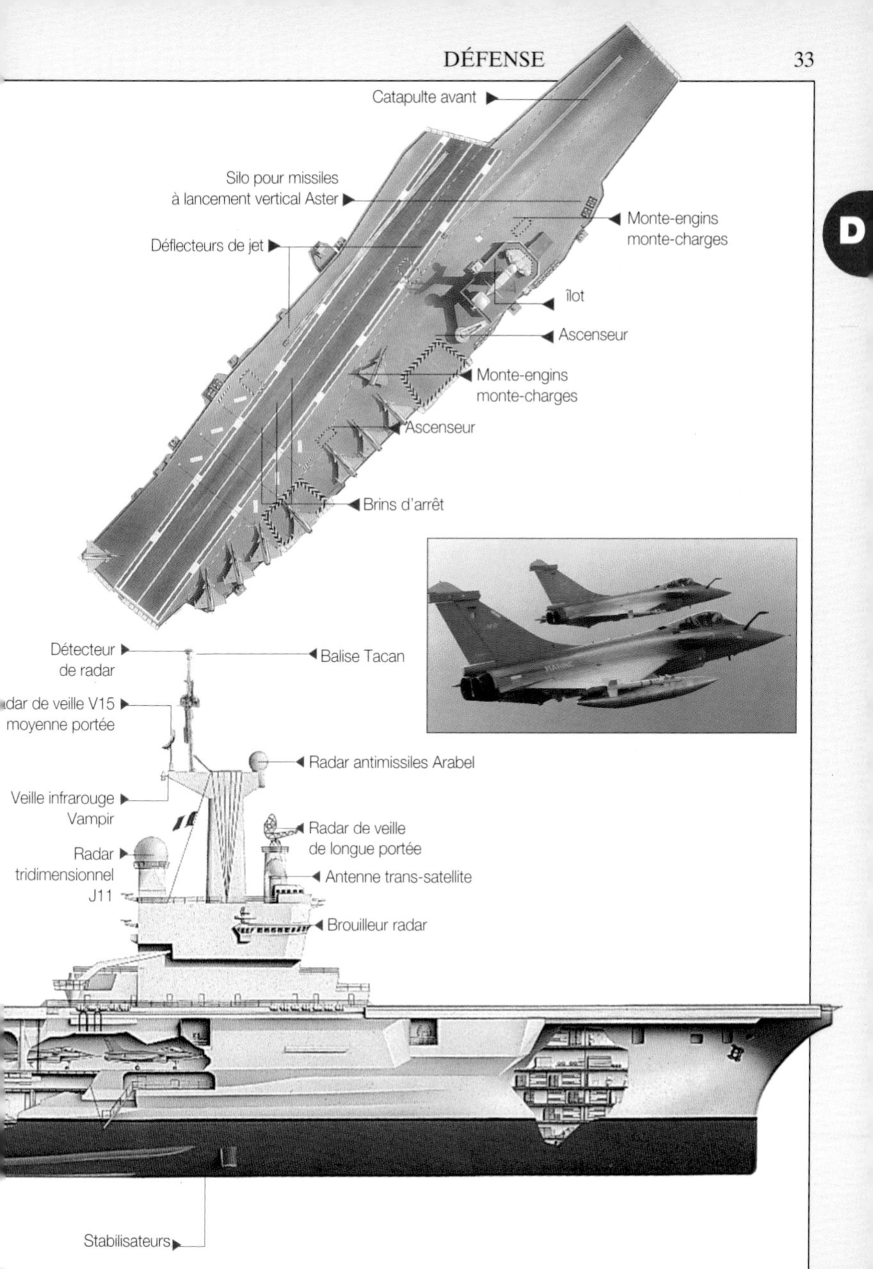

Catapulte avant
Silo pour missiles
à lancement vertical Aster
Monte-engins
monte-charges
Déflecteurs de jet
îlot
Ascenseur
Monte-engins
monte-charges
Ascenseur
Brins d'arrêt
Détecteur
de radar
Balise Tacan
dar de veille V15
moyenne portée
Radar antimissiles Arabel
Veille infrarouge
Vampir
Radar de veille
de longue portée
Radar
tridimensionnel
J11
Antenne trans-satellite
Brouilleur radar
Stabilisateurs

D

Chaque jour, chacun des Français vivants consacre 9 francs à la défense du pays. C'est plus que les Allemands (6,60 francs) et les Britanniques (8,95 francs), et beaucoup moins que les Américains (16,73 francs).
Le plus cher des programmes que notre pays fournit à ses militaires est celui de l'avion de combat Rafale. Il coûtera au total, dans l'état actuel des estimations, 259 milliards de francs entre le 1er janvier 1986 et le 31 décembre 2015. Soit 28,38 millions de francs par jour durant vingt-cinq ans. C'est exactement deux fois moins que le budget quotidien des forces nucléaires, qui se monte en 1997 à 56 millions de francs par jour. Un chiffre qui peut être rapproché de celui des prises de commandes export des industries françaises d'armement, soit 91 millions de francs par jour (1995).
L'entraînement des forces est gros consommateur de munitions: l'armée de l'air largue chaque jour 41 bombes sur ses terrains d'exercice, mais aussi 19 roquettes et 931 obus de 30 millimètres.
Nos aviateurs effectuent quotidiennement 851 heures de vol sur des avions de tous types, consomment 1835 mètres cubes de carburéacteur. 42205 déjeuners sont servis quotidiennement dans les cantines et les mess des aviateurs.
L'armée de terre octroie tous les jours que Dieu fait 18 francs à ses appelés de deuxième classe. Elle dispose en 1997 de 9 postes radio de dernière génération PR4G supplémentaires chaque jour et de 7 nouveaux missiles antichars. Ses entraînements consomment chaque jour 24,25 tonnes de munitions de tous types, tandis que ses parachutistes sautent 650 fois par vingt-quatre heures. La formation permanente n'est pas un vain mot: chaque jour, 15000 «terriens» planchent toute la journée pour leur perfectionnement et, chaque fois que le soleil se couche, 190 nouveaux permis de conduire ont été délivrés. L'armée de terre recrute 40 professionnels par jour ouvrable (250) et rend à la vie civile 90 de ses hommes (appelés et professionnels). Les 5800 abonnés à la messagerie électronique reçoivent chacun 4 messages dans le même temps. C'est également sur ses hommes que repose la plus grande part des opérations extérieures engagées par la France sous tous les cieux, pour lesquelles le budget quotidien s'élevait à 14,1 millions de francs en 1996. La mission de la SFOR en Bosnie représente environ un quart de ce volume (3,28 millions de francs par jour).
Pendant ce temps, la marine navigue.

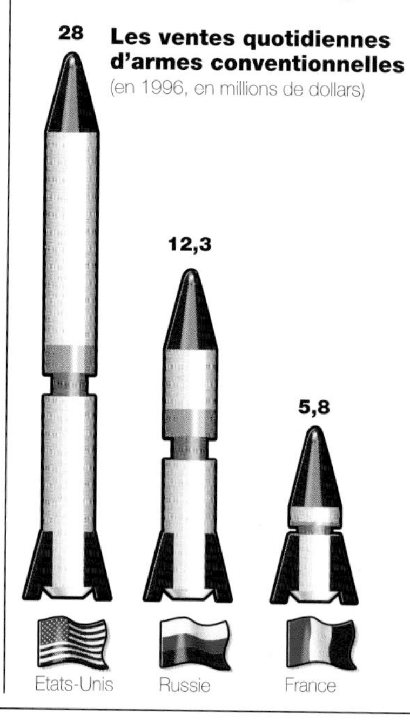

Chacun de ses 100 navires passe en moyenne une journée sur trois en mer, et pas pour demeurer attaché à une bouée: chaque jour, nos navires de guerre parcourent 8219 milles nautiques. Composante à part entière des armées, la gendarmerie nationale paie un lourd tribut à la sécurité intérieure française. Chaque jour de 1996, 3 gendarmes ont été blessés en service commandé, tandis que 17 personnes étaient secourues sur terre, en mer ou en montagne. C'est beaucoup moins que le nombre de personnes placées chaque jour en garde à vue (272). 162 constatations d'infraction aux diverses lois sur l'environnement sont constatées.

CHASSE
Près de 685 000 cartouches de chasse sont vendues chaque jour.

Sur les routes, nos hommes en bleu ne chôment pas: ils consacrent 35545 heures quotidiennes à la police de la circulation. Et, chaque jour, la République leur fournit 1 moto neuve !

DÉMOGRAPHIE

En 1996, la population française s'est accrue de 650 personnes par jour (pour atteindre 58,3 millions), dont 540 de solde naturel (excédent des naissances sur les décès) et 110 de solde migratoire. Un accroissement bien faible. Au début des années 90, le solde naturel était encore de 630 et le solde migratoire de 245.

Natalité

Chaque jour de 1996, 2010 bébés ont vu le jour.

724 d'entre eux (36 %) sont nés hors mariage (contre 1 sur 10 en 1980):

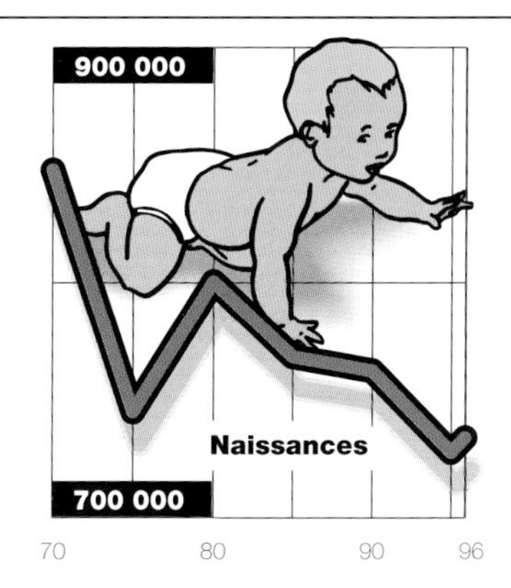

un taux assez élevé en Europe, la France n'étant devancée, dans ce domaine, que par la Suède, le Danemark et la Norvège.

12 enfants sont adoptés chaque jour, dont 4 petits Français et 8 enfants venant de l'étranger.

Le nombre de naissances non désirées est aujourd'hui trois fois moins élevé qu'en 1965. On estime malgré tout que plus de 600 Françaises ont recours chaque jour à l'interruption volontaire de grossesse (contre près de 2000 avortements clandestins avant la loi Veil) et que 13 d'entre elles doivent encore se rendre en Espagne, aux Pays-Bas ou en Angleterre pour avoir trop attendu.

Nuptialité/Divorce

Le petit sursaut observé en 1996 – 767 mariages par jour contre 696 en 1995 – est-il dû à un regain d'intérêt pour l'institution matrimoniale ou aux effets de l'amendement Courson (suppression de l'avantage fiscal des couples non mariés) ? Quoi qu'il en soit, la désaffection pour le mariage remonte à 1972. Cette année-là, on célébrait encore chaque jour 1142 unions (une moyenne, bien sûr, car on se marie surtout en juin et en septembre et à plus de 80 % le samedi).

D

Aujourd'hui, les Français sont de moins en moins nombreux à se marier à l'église : moins de 50 % (contre 78 % en 1965). Quant aux mariages mixtes, ils représentent 10 % des 767 mariages.
L'union libre semble être devenue le principal mode de formation des couples : 9 unions sur 10 commencent par une période de cohabitation. Plus d'un mariage sur 5 est précédé par la naissance d'un ou plusieurs enfants. 2 millions de couples vivent en union libre.
Par ailleurs, le nombre de divorces prononcés quotidiennement a avoisiné les 330 en 1995. Un chiffre trois fois plus élevé que celui de 1972.

Mortalité
Parmi les 1 470 décès quotidiens, 470 sont imputables aux maladies cardio-vasculaires, 400 aux tumeurs (dont 65 tumeurs de la trachée, des bronches et du poumon, 45 de l'intestin, 30 du sein, 25 de la prostate et 13 leucémies), 110 aux maladies de l'appareil respiratoire, 70 à celles de l'appareil digestif, 35 aux maladies infectieuses et parasitaires, 20 pour les maladies des organes génito-urinaires. On compte aussi 18 morts par diabète, environ 35 suicides (250 à 315 tentatives) et entre 1 et 2 décès par overdose.

DÉPENSES ORDINAIRES

102,47 francs est la somme dépensée par chaque Français pour ses achats courants. À noter une curiosité dans ce budget quotidien, la part la plus importante n'est pas consacrée à l'alimentation (26,72 francs par jour), mais à la santé (32 francs).

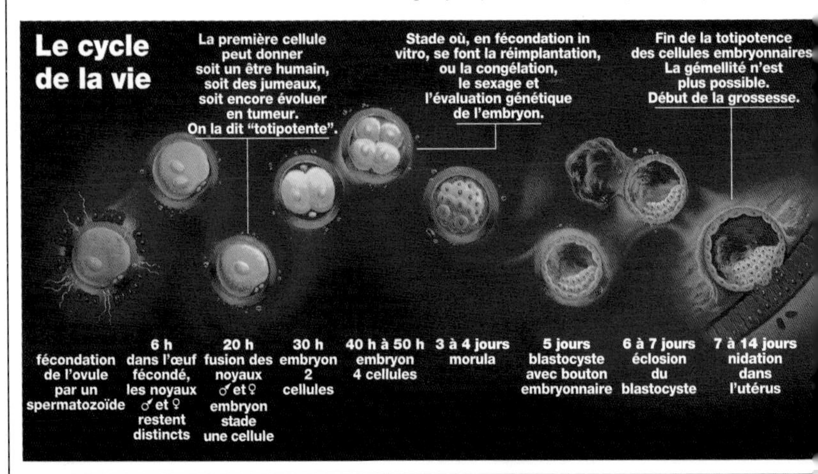

Parmi les principales dépenses alimentaires, 6,47 francs vont à l'achat de viande, 3,79 francs à l'achat de légumes, de fruits, de pommes de terre et 3,40 francs à celui de produits laitiers.
Les Français donnent chaque jour 1,74 franc à leur boulanger.
La somme consacrée à l'achat de boissons est de 5,28 francs avec une part belle faite au vin: 40 % du budget, contre 10,9 % pour l'achat d'eau minérale.
Les 49,1 % restants sont consacrés aux liqueurs et apéritifs (0,86 franc), aux champagnes et aux vins mousseux (0,60 franc). Les derniers centimes se répartissent à peu près de façon égale entre sodas, jus de fruits, bière et cidre.
Les Français investissent presque autant dans l'habillement (6,14 francs) que dans l'achat de steak. Par contre, leur budget chaussures est peu élevé: 2,17 francs, soit moins que leur budget cigarettes (3,16 francs).
Les Français dépensent chaque jour 5,52 francs pour le transport, 4,47 francs pour l'électricité, 1,38 franc pour le gaz et 1,02 franc pour les produits d'entretien.

SUPERMARCHÉS
Chaque jour, chacun des deux millions de chariots utilisés dans les super et autres hypermarchés, parcourt, lourdement chargé, 10 kilomètres à travers les rayons.

Sans oublier quelques dépenses moins ordinaires: l'équipement en électroménager (3,58 francs) et l'achat de mobilier (3,37 francs).
Bien entendu, une partie de leur budget est consacrée à la détente, avec notamment 9,68 francs dans les cafés et restaurants, 4,10 francs dans le bricolage et 1,34 franc dans le jardinage.

Équipement

À en juger par leur taux d'équipement (95 % d'entre eux sont équipés d'au moins un téléviseur, 47 % de plusieurs), les ménages français sont bien pourvus en appareils électroménagers et autres meubles d'intérieur et d'extérieur. Mais pourtant, les ventes quotidiennes de biens d'équipement restent impressionnantes.

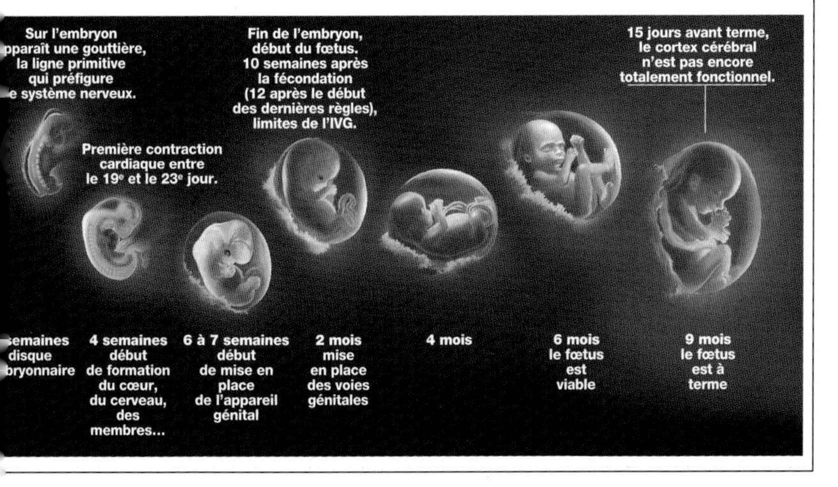

Appareils ménagers vendus chaque jour
- Micro-ordinateurs : 1506
- Magnétoscopes : 6027
- Micro-ondes : 3835
- Téléviseurs : 9726
- Caméscopes : 1205
- Chaînes hi-fi : 4356
- Radiocassettes : 5424
- Réfrigérateurs : 5287
- Lave-linge : 5260
- Fours : 3479
- Lave-vaisselle : 2068
- Cuisinières : 2356
- Aspirateurs : 6219
- Grille-pain : 3890
- Cafetières : 10575
- Fers à repasser : 8164
- Sèche-cheveux : 5863

Meubles
- Meubles de salon, de chambre, etc. : 41369
- Canapés, fauteuils, poufs, etc. : 6849
- Literie : 10684
- Meubles de cuisine : 13698
- Meubles de salle de bains : 4383
- Meubles de jardin : 8493

Deux-roues

En 1996, chaque jour, 370 nouvelles immatriculations de motos ont été enregistrées. Les grands bénéficiaires de cet engouement pour les motos et autres deux-roues à moteur sont les 125 centimètres cubes : 140 vendues par jour en 1996, soit 76 % de plus qu'en 1995. Cela est notamment dû à la loi de 1996, qui autorise les possesseurs de permis de conduire de catégorie B à conduire des 125 centimètres cubes.
Les scooters ont vu aussi leurs ventes s'accroître de 21 %, ainsi que les cyclomoteurs (397 Mobylette ou scooters vendus par jour).
328 permis moto sont délivrés par jour, soit pratiquement deux fois plus qu'en 1980. Ce mode de transport reste masculin, même si 13,3 % des nouveaux « motards » sont des femmes.
Le marché est dominé par les quatre grandes marques japonaises (Yamaha, Honda, Suzuki, Kawasaki), qui, à elles seules, représentent 76 % des nouvelles immatriculations.
La bonne vieille bicyclette continue, elle, de caracoler : chaque jour, pas moins de 9147 vélos trouvent cyclistes à leurs pédales.

Taux d'équipement en 1996

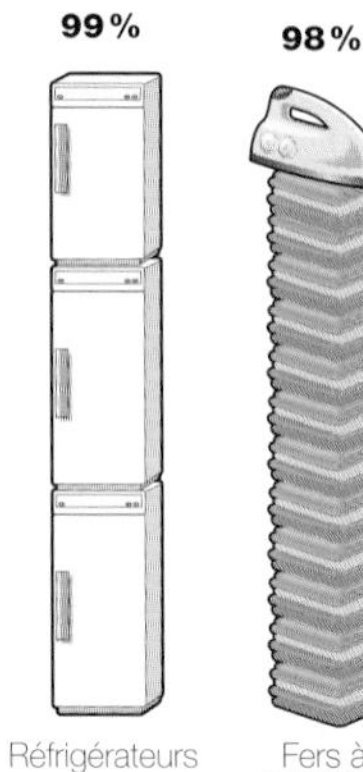

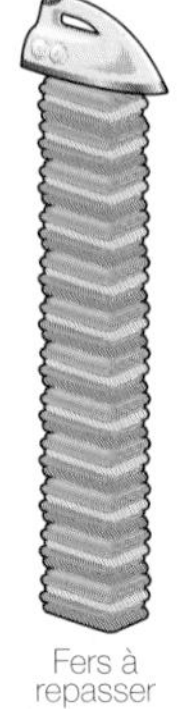

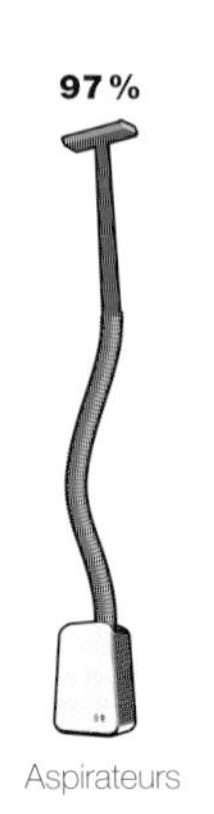

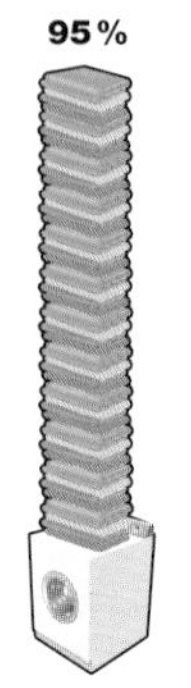

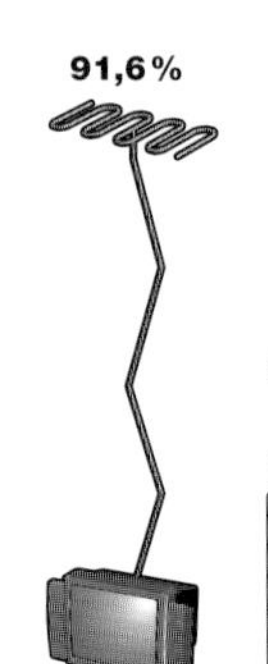

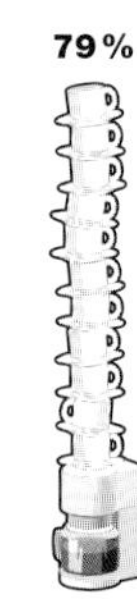

Un samedi chez Kiloutou

Dans les 43 agences de location de Kiloutou, 400 personnes accueillent chaque samedi (jour de pointe), à partir de 8 heures, les 3000 clients de la journée. Dans les entrepôts, 65000 matériels sont prêts à être loués, 1000 produits complémentaires (vitrificateur pour parquet, shampooing-moquette…) sont stockés pour la vente. À 18h30, ce sont 570 décolleuses à papier peint, 500 ponceuses à parquet, 450 shampouineuses, 300 véhicules utilitaires, plus de 1500 tables et chaises, 60 tonnes d'acier, de plastique et de composants de matériel et plus de 3 kilomètres d'échelles qui auront été loués. Le chiffre d'affaires quotidien de cette chaîne de location ouverte il y a dix-huit ans est de 1,5 million de francs. Chez Kiloutou, un contrat est établi toutes les 20 secondes. Le samedi, un toutes les 10 secondes.

EAU

Chaque jour, dans sa vie domestique, le Français consomme en moyenne 150 litres d'eau: 7 % pour l'alimentation (boisson et préparation de la nourriture) et 93 % pour l'hygiène et le nettoyage (hygiène corporelle, lavage de voiture, vaisselle, linge, etc.).
Il est loin derrière le Suédois (175 litres par jour), le Norvégien (199 litres) et le Suisse (264 litres), mais devant le Belge (108 litres) et l'Anglais (132 litres).
C'est en vacances qu'il consomme le plus (230 litres), ou encore s'il fait du sport régulièrement (204 litres).
Près de 7 millions de mètres cubes d'eau sont consommés par l'agriculture, à des fins d'irrigation ou d'arrosage, de quoi remplir l'équivalent de 3333 piscines olympiques.
Pour l'industrie également, les besoins en eau sont importants – 1,3 million de mètres cubes par jour – puisqu'il faut 5700 mètres cubes pour produire 1 tonne de rayonne, jusqu'à 500 mètres cubes d'eau pour 1 tonne de papier, ou encore 35 mètres cubes pour la production d'une voiture et 25 litres d'eau pour faire 1 litre de bière.
La gestion des eaux usées revient environ à 3 francs par jour et par Français. Il faut savoir qu'environ 40 % des 154 millions de francs engagés chaque jour, en France, pour la gestion des eaux usées sont pris en charge par les entreprises.

La quasi-totalité des ménages français dispose aujourd'hui de gros appareils électroménagers (réfrigérateurs, cuisinières, lave-linge, aspirateurs). Les disparités selon la catégorie sociale concernent surtout le lave-vaisselle, dont la progression est très lente depuis son apparition sur le marché, et les équipements de loisirs (magnétoscopes, chaînes hi-fi). Les différences entre ménages apparaissent aussi quant au taux de renouvellement des équipements. On estime que l'âge moyen d'un réfrigérateur est de neuf ans, celui d'un lave-linge de sept ans et celui d'un lave-vaisselle de dix ans.

LE CYCLE DE L'EAU

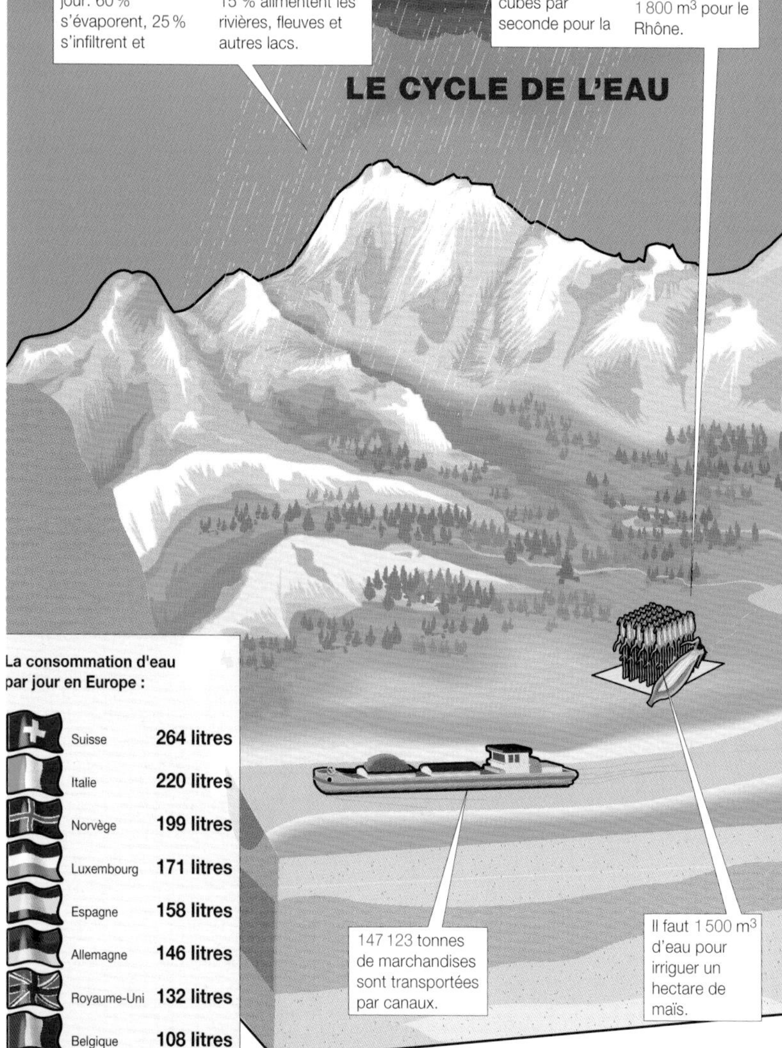

La France reçoit plus de 1 milliard de mètres cubes de précipitations par jour. 60 % s'évaporent, 25 % s'infiltrent et permettent ainsi aux réserves souterraines de se reconstituer, et 15 % alimentent les rivières, fleuves et autres lacs.

Le débit moyen annuel des fleuves est de 500 mètres cubes par seconde pour la Seine, 935 m^3 pour la Loire, 1 085 m^3 pour la Gironde et 1 800 m^3 pour le Rhône.

147 123 tonnes de marchandises sont transportées par canaux.

Il faut 1 500 m^3 d'eau pour irriguer un hectare de maïs.

La consommation d'eau par jour en Europe :

Suisse	**264 litres**
Italie	**220 litres**
Norvège	**199 litres**
Luxembourg	**171 litres**
Espagne	**158 litres**
Allemagne	**146 litres**
Royaume-Uni	**132 litres**
Belgique	**108 litres**

Sur les 109 millions de mètres cubes d'eau prélevés pour satisfaire à tous les besoins, 94 millions sont gaspillés ! 68 millions de mètres cubes d'eau sont prélevés pour l'énergie et seulement 9 % consommés, 15 millions prélevés pour les usages domestiques et 31 % consommés, 13 millions pour l'agriculture et 50 % consommés, et 11 millions pour l'industrie dont 10 % consommés. Chaque jour, le Français consomme en moyenne 150 litres d'eau : 7 % pour l'alimentation et 93 % pour l'hygiène et le nettoyage. Les Français dépensent chaque jour 0,57 centime dans l'achat d'eau minérale. 67 % d'entre eux sont des buveurs d'eau du robinet. L'eau représente 75 % du poids du nourrisson, 60 % de celui de l'adulte et 55 % pour les personnes âgées.

Autres consommations. Pour faire fonctionner un hôpital, 450 litres d'eau, par jour et par lit, sont nécessaires. Le lavage des caniveaux nécessite 25 litres d'eau par mètre et l'arrosage de la chaussée 1 litre par mètre carré. Directement ou indirectement, dans le cadre de leur activité, chaque élève utilise environ 100 litres d'eau quotidiennement à l'école, et chaque employé 100 à 135.

Vaisselle à la main
12 litres
Une vaisselle par jour

Lave-vaisselle
32 litres
Une machine par jour

Lave-linge
92 litres
Une machine par jour

Chasse d'eau
36 litres
4 tirages / personne / jour

Douche
70 litres
4 douches par jour

Bain
175 litres
1 bain / personne / jour

Arrosage
36 litres
Pour 100 m² de pelouse

Piscine
50 000-80 000 litres

Lavage-auto
200 litres
1 lavage par mois

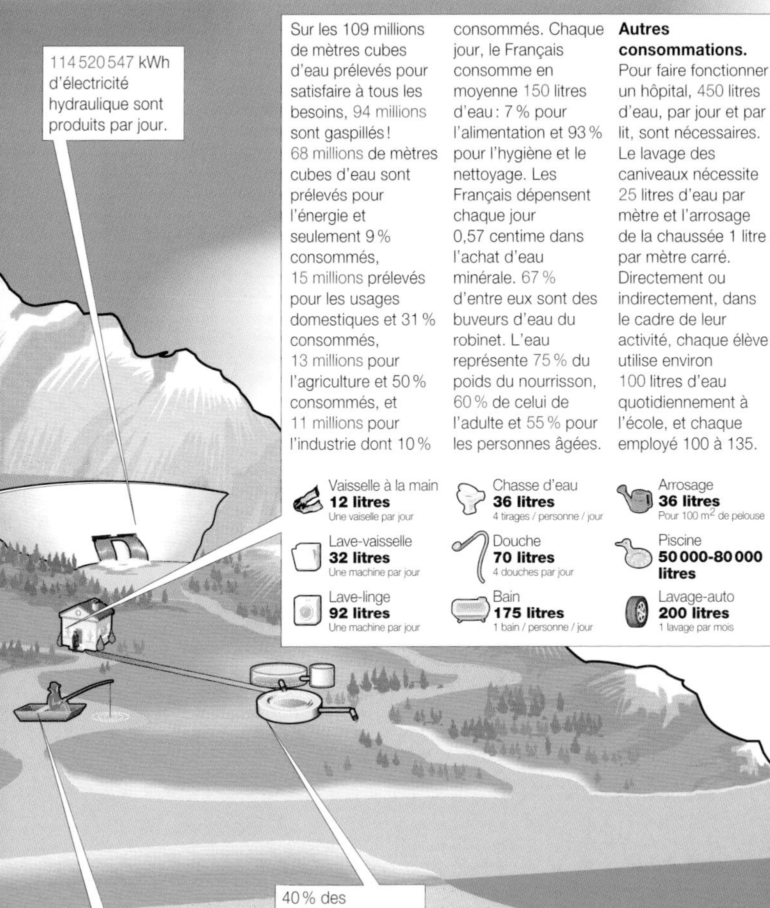

114 520 547 kWh d'électricité hydraulique sont produits par jour.

7 031 parties de pêche ont lieu chaque jour.

40 % des 154 millions de francs engagés chaque jour pour la gestion des eaux usées sont pris en charge par les entreprises.
3 francs : c'est ce que dépense chaque Français pour la gestion des eaux usées.

2 390 tonnes de poissons, crustacés et autres coquillages sont pêchées chaque jour.

EMPLOI

La population active
Le 31 mars 1997, la France comptait 25 582 000 actifs, dont 22 430 000 personnes exerçant une activité professionnelle et 3 151 000 chômeurs.

Les chômeurs
Depuis 1964, le nombre des chômeurs a été multiplié par 10. Le cap des 500 000 chômeurs est atteint au début des années 70. En 1976, celui du million est dépassé. Entre 1980 et 1996, seuls les effectifs du secteur tertiaire ont augmenté. Cette croissance n'a pas permis de compenser l'hémorragie dans le bâtiment et dans l'industrie manufacturière (25 % des effectifs). Pour la seule dernière année (entre mars 1996 et mars 1997), le nombre de personnes ayant un emploi a baissé chaque jour de 170, une baisse qui a touché particulièrement les hommes et les ouvriers.

Les précaires
En 1996, 1,7 million d'actifs étaient en situation de précarité, c'est-à-dire sans emploi stable (c'était le cas de 273 000 intérimaires). Près de 162 contrats à durée déterminée, 1 500 contrats emploi-solidarité, 530 contrats d'apprentissage, 260 contrats de qualification et 380 conventions de conversion ont été signés chaque jour.

Les allocataires
Chaque jour, 4 500 personnes sont enregistrées à l'Unedic et peuvent ainsi percevoir leur allocation chômage. Par ailleurs, 3 430 personnes « sortent » des registres de l'Unedic, dont 1 880 pour reprise d'emploi et 1 548 pour fin de droits. L'organisme verse quotidiennement 250 millions de francs au titre de l'allocation chômage.

Les femmes actives
Autre phénomène majeur de ces dernières décennies, l'arrivée massive des femmes sur le marché du travail : alors qu'en 1968 seule 1 femme sur 2 (de 25 à 49 ans) était active, aujourd'hui 8 sur 10 le sont.

Les retraités
De leur côté, 12 millions de Français vivent chaque jour leur situation de retraité. Ils étaient 10 millions il y a vingt ans. De 3 cotisants pour 1 retraité en 1970, nous sommes passés à 2 pour 1 aujourd'hui. Le rapport devrait être de 1,9 cotisant pour 1 retraité en 2010 et de 1,3 cotisant en 2040.

EXPATRIATION

123 Français décident chaque jour d'aller voir ailleurs si la vie est plus belle. Contre 4 660 Britanniques et Allemands.

Le volume des pensions versées a connu une forte augmentation depuis plusieurs décennies. Il représente près de 13 % du PIB, contre 7 % en 1970. Le montant moyen des retraites est d'environ 200 francs par jour (270 francs pour les hommes et 140 francs pour les femmes). 25 % des retraités ont une pension supérieure à 265 francs et la moitié une pension inférieure à 165 francs. Mais c'est compter sans les centaines de milliers de veuves qui ne touchent que 54 % de la retraite de leur mari défunt. Enfin, 1 million de retraités (ils étaient 2,5 millions au début des années 60) doivent encore se contenter du minimum vieillesse, soit 115 francs par jour.

E

Un jour à l'ANPE

Chaque jour, plus de 6380 offres d'emploi ont été déposées par une des 469000 entreprises ayant recouru en 1996 aux services des agences de l'ANPE. 5590 de ces offres ont donné lieu à une embauche.
Plus de 2760 offres par jour sont collectées dans le secteur des services marchands, 380 dans le BTP, 360 dans l'agriculture, 221 dans les transports et télécommunications et 30 dans les assurances. Plus de 2600 offres concernent des employés qualifiés. Les 125 offres cadres collectées ont permis de placer plus de 60 cadres demandeurs d'emploi.
12460 demandes d'emploi sont enregistrées chaque jour à l'ANPE, dont la majorité (7732) sont motivées par la fin d'un contrat, par un licenciement ou par une démission. 1572 des demandes sont une première inscription.
Quelque 38360 demandeurs d'emploi sont reçus chaque jour pour une prise de contact personnalisée permettant de se positionner dans la recherche d'un emploi et de s'orienter vers des stages ou des formations adéquates le cas échéant.
Environ 40 jeunes sont passés chaque jour par un des 720 clubs de chercheurs d'emploi leur permettant de prospecter quelque 320 entreprises. 80 % des jeunes sortis d'un de ces clubs ont trouvé un emploi.
Les 16400 agents des équipes des agences locales ont noué chaque jour plus de 5200 contacts avec les entreprises, dont 2200 ont fait l'objet de visites. Chaque agent visite une entreprise au moins 1 fois par semaine et recueille une offre d'emploi pratiquement 1 jour sur 2.
L'ANPE développe également une activité internationale et 38 demandeurs d'emploi sont ainsi placés dans le cadre des conventions de coopération.
Plus de 4 millions de francs par jour sont nécessaires au budget de fonctionnement de l'ANPE et 45,5 millions de francs sont gérés par l'agence pour mettre en place des mesures pour l'emploi.

EMPLOI DU TEMPS

Sommeil et repas

En ajoutant les repas et la toilette au sommeil, c'est près de la moitié de la journée que les Français – qu'ils soient actifs ou inactifs, hommes ou femmes – consacrent à leurs besoins physiologiques. À noter que le temps de sommeil représente 7 h 30 en moyenne (contre 9 heures au début du siècle), soit 31 % du temps de vie. Nous consacrons 17 minutes au petit-déjeuner, 33 minutes au déjeuner et 38 minutes au dîner, soit un total de 1 h 30 pour nous restaurer.

Travail

Les adultes actifs, du lundi au vendredi, consacrent en moyenne à leur travail (y compris les trajets) 8 h 50 pour les hommes et 7 h 40 pour les femmes. Les indépendants travaillent plus longtemps que les salariés et les agriculteurs 2 heures de plus que les citadins.

Travail domestique

Si, comme on l'a vu, les femmes travaillent à l'extérieur 1 heure de moins que les hommes, elles consacrent plus de 4 h 30 aux tâches domestiques, contre 2 h 48 pour les hommes. Ces derniers se rattrapent un peu le week-end : ils accordent 4 h 25 aux travaux de la maison le samedi – y compris les courses, le jardinage et les soins aux enfants – et 3 h 35 le dimanche. Ce qui n'empêche pas les femmes d'en faire encore un peu plus avec 6 heures le samedi et 5 h 30 le dimanche. Les femmes au foyer consacrent, elles, 6 h 20 chaque jour de la semaine au travail domestique.

Le temps passe

L'horloge parlante reçoit 220 000 appels chaque jour avec des pics le 31 décembre et les jours de changements horaires. Qu'elle soit au poignet, dans la poche, autour du cou ou au fond du sac, nous regardons chaque jour 25 fois notre montre.

Enfants

Dans une journée, les mères sont deux fois plus nombreuses que les pères à laver, habiller, faire manger leurs enfants. Et elles leur consacrent deux fois plus de temps. Dans un foyer où les deux conjoints travaillent, la mère consacre 2 h 30 par jour à son enfant s'il a moins de 2 ans, le père 45 minutes.

Profil d'une journée moyenne

Pour comprendre ce graphique

À 13 heures, la moitié de la France est devant son assiette. D'autres continuent leurs activités professionnelles ou domestiques (un peu plus de 30 %). La télévision intéresse à cette heure près de 4 % de la population et mord sur les loisirs. Sommeil et toilette ne se rencontrent plus qu'exceptionnellement.

À noter aussi

Si, entre 0 heure et 2 heures du matin, plus de 90 % des Français sont dans les bras de Morphée, d'autres travaillent encore (1 %), mangent, boivent ou grignotent (1 %), font un peu de toilette (1 %) ou finissent de regarder les programmes télé (1 %).
De 7 heures à 9 h 30, les occupations professionnelles et domestiques sont en progression extrêmement rapide : 17 % à 7 heures, 64 % à 9 h 30.
La plage du dîner est plus étalée que celle du déjeuner. Il y a au maximum 36 % de personnes qui dînent au même moment.
De 20 h 30 à 22 h 30 : communion devant le petit écran. Plus de la moitié de la population de plus de 15 ans est alors sous l'emprise de la télévision.
22 h 30 : près de 39 % des Français dorment. Ils sont deux fois plus nombreux une heure plus tard et 87 % à minuit.
Tâches ménagères et travail professionnel retiennent encore 9 % de la population à 22 h 30, près de 3 % à minuit.

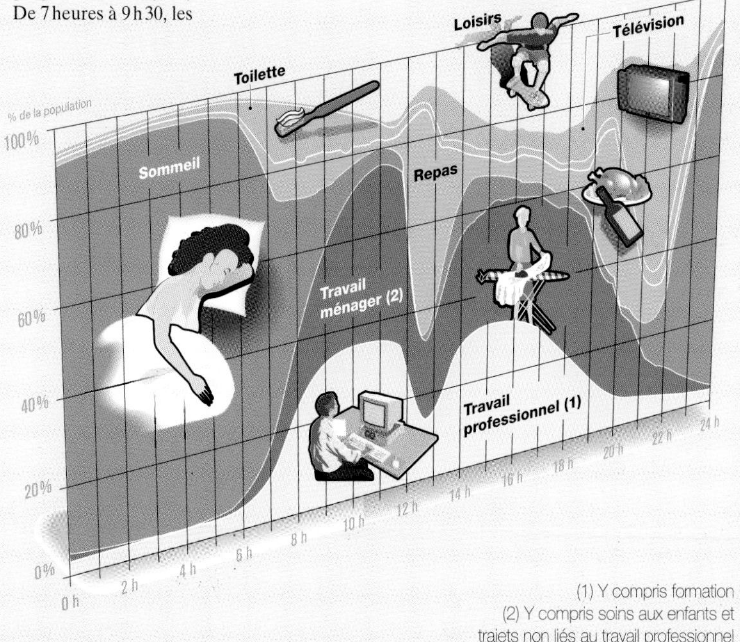

(1) Y compris formation
(2) Y compris soins aux enfants et trajets non liés au travail professionnel

Temps libre
Conclusion logique : chez les actifs citadins, les hommes ont en moyenne 50 minutes de plus de temps libre (3 h 41) que les femmes (2 h 51).
Un temps consacré pour 40 % à regarder la télévision : 1 h 40 sur les 3 h 30 de temps libre dont dispose chaque Français de plus de 15 ans.
À partir de la cinquantaine, ce temps augmente encore, de même que le temps passé aux autres loisirs d'intérieur : écouter la radio, jouer aux cartes, lire, etc. Tandis que le sport est un loisir de jeunes : presque 20 % des 15-19 ans pratiquent une activité sportive dans une journée.
Si les Français ont toujours l'impression d'en manquer, jamais ils n'ont eu autant de temps libre : à l'échelle d'une vie, il est 3 fois plus long que le temps de travail, il a triplé depuis le début du siècle et représente un tiers du temps éveillé. Bien sûr, une partie importante de ce temps n'est disponible qu'au moment de la retraite.

ÉNERGIE

Pétrole
6 857 tonnes de pétrole brut sont produites chaque jour en France, soit 41 fois moins que la production du Koweït (280 106 tonnes). Mais la quantité de pétrole qui passe par les raffineries françaises est nettement supérieure puisque ce sont 235 736 tonnes qui sont traitées quotidiennement. Ce pétrole raffiné sert notamment à alimenter la France, qui consomme chaque jour 41 095 tonnes d'essence, 64 353 tonnes de diesel et 17 280 tonnes de fioul domestique.

Zoom sur Paris

La consommation parisienne

Plus de 1,5 million d'abonnements EDF pour une consommation journalière de près de 34 millions de kwh. Environ 440 000 kWh d'électricité sont consommés quotidiennement pour l'éclairage public et la signalisation, et près de 290 000 kWh pour les bâtiments communaux.
Environ 30 millions de kwh de gaz sont émis pour les 705 000 abonnés parisiens.
1 655 mètres cubes de carburants sont consommés.

Où va l'argent de votre facture EDF

(pour 100 francs)

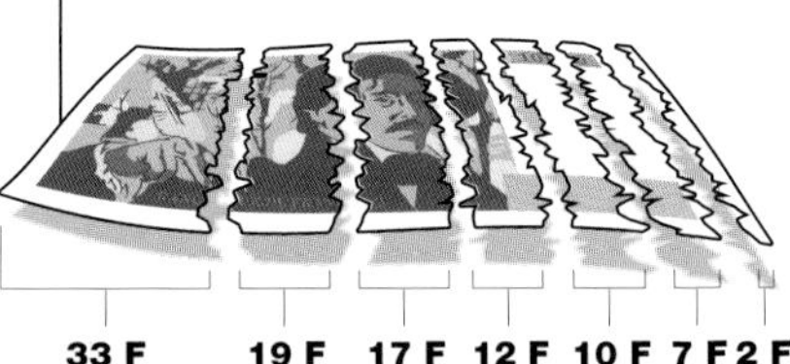

33 F 19 F 17 F 12 F 10 F 7 F 2 F

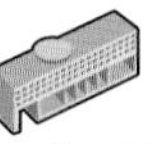

Impôts et taxes

Fonctionnement (hors personnel)

Salaires et retraites du personnel EDF

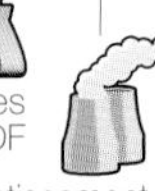

Investissement

Désendettement et charges financières

Combustibles

Achat d'électricité privée

Électricité : consommation maximale et minimale

de novembre 1995 à mai 1996
Sur ce graphique apparaissent les consommations maximales et minimales d'électricité au cours de l'hiver et du printemps 1995-1996. Il faut savoir qu'en ces saisons la consommation est extrêmement sensible à la température et à la nébulosité. Un degré de moins en hiver ou un très violent orage sur la région parisienne se traduisent par une hausse de la consommation électrique de 1 200 mégawatts (MW), soit l'équivalent de la puissance d'une centrale nucléaire.

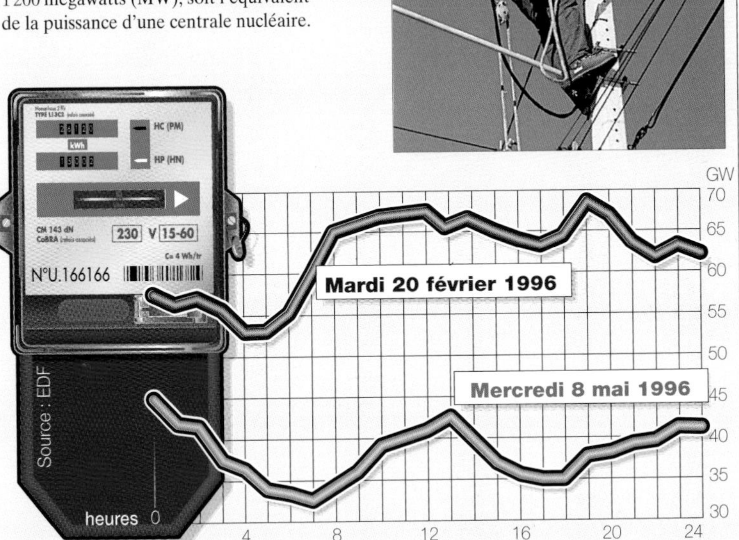

Le mardi 20 février 1996 a dû être particulièrement froid : la journée se termine avec une consommation de 62 gigawatts (GW) ; elle avait débuté avec une consommation de 58 GW. Notons deux grandes pointes : l'une se situe entre 8 heures du matin et midi – avec le démarrage de l'activité domestique et d'une grande partie de l'activité industrielle et des services – l'autre vers 19 heures (vite interrompue par la baisse de l'activité industrielle). Remarquons aussi de petits pics, comme celui de 23 heures, dus au « tarif heures creuses ».

Le mercredi 8 mai fut, au contraire, une journée clémente : la consommation maximale – celle de 13 heures – est inférieure à celle du tout début de journée. Pas de pointe en cette saison en raison de l'heure d'été et de la plus forte luminosité. Enfin, détail non négligeable, le 8 mai est un jour férié.

ENTREPRISES

Chaque jour, 754 entreprises naissent et 147 disparaissent en France.
Les 19 plus grandes firmes françaises réalisent quotidiennement un chiffre d'affaires global de 9 milliards de francs et un bénéfice de 256 millions de francs.
Au premier rang des entreprises, Elf, qui extrait 779 millions de barils de pétrole par jour, réalise dans le même temps un chiffre d'affaires de 635 616 438 francs et un bénéfice de 18 904 109 francs.
Vient ensuite Renault, qui, malgré les 4700 véhicules qui sortent chaque jour de ses chaînes et un chiffre d'affaires de 504 109 589 francs, a perdu 14 246 575 francs en 1996.
En chiffre d'affaires quotidien, Total se classe troisième avec 482 191 780 francs et réalise 15 342 465 francs de bénéfices ; suivi de PSA (5 400 véhicules produits quotidiennement pour un CA de 473 972 602 francs et 2 010 958 francs de bénéfices).
La Générale des eaux, qui distribue ou assainit l'eau consommée chaque jour par 65 millions d'habitants dans le monde, pointe à la cinquième place (CA de 454 520 547 francs et bénéfices de 5 205 479 francs).
Alcatel-Alsthom, qui installe notamment 9 000 lignes téléphoniques par jour dans le monde entier, pointe à la sixième place avec 444 109 589 francs de chiffre d'affaires et 7 397 260 francs de bénéfices quotidiens.

POMPES FUNÈBRES
Le décès chaque jour de 1 470 français représente pour les entreprises de pompes funèbres un chiffre d'affaires quotidien de 19 millions de francs.

HOBBIES

Parmi les loisirs recensés statistiquement en France, ce sont chaque jour :
- 32 054 personnes qui se rendent à Disneyland Paris ;
- 8 900 au parc Astérix (lors de sa période d'ouverture) ;
- 7 671 au Futuroscope ;
- 9 789 parties de chasse en période ouvrable et 7 031 parties de pêche ;
- 293 928 « nightclubbers » envahissent chaque nuit les pistes des discothèques ;
- 326 687 pellicules photo et 36 255 appareils jetables vendus.

HÔTELLERIE-RESTAURATION

6 379 726 repas sont servis chaque jour dans les restaurants. La restauration hors foyer représente 20 % des dépenses. Il est vrai que l'offre est impressionnante : la France ne compte pas moins de 69 961 restaurants de tradition, 7 715 restaurants de restauration rapide et 12 000 restaurants d'hôtel. Restauration et hôtellerie employaient 745 000 personnes en 1990 (contre

Un jour chez Léon de Bruxelles, Hippopotamus et Batifol

Presque 5 tonnes de moules déclinées à toutes les sauces, 1,91 tonne de frites et environ 1 917 litres de bière : voilà ce qui est consommé chaque jour chez le roi de la « moule-frites », Léon de Bruxelles, qui sert 6 300 couverts quotidiens dans ses 14 restaurants.
Dans les 26 restaurants Hippopotamus, spécialisés, eux, dans la grillade, c'est près de 14 000 repas qui sont servis chaque jour. Soit 1,73 tonne de bœuf (ce qui représente 22 bêtes abattues), 1,3 tonne de pommes de terre servies en « robe des champs », 1,5 tonne de frites et 1 643 litres de vin consommés. Le tout pour une somme moyenne de 125,50 francs par personne. Le best-seller : le pavé, qui fédère 11 % des ventes, suivi de l'entrecôte (9 %).
Quant à l'enseigne Batifol (pot-au-feu et cuisine traditionnelle), elle sert 6 000 couverts dans ses 20 brasseries situées à Paris et dans sa proche banlieue. 866 kilos de viande (dont 566 de bœuf et 166 d'agneau), 500 kilos de poisson et 133 de salade sont engloutis chaque jour. C'est le tartare qui caracole en tête, avec un chiffre de 333 couverts quotidiens, talonné par le pavé de chevillard grillé, à 295 couverts. La crème brûlée obtient un score de 152 plats servis, suivie par les profiteroles au chocolat (123 couverts).

562 000 quinze ans plus tôt).
4 500 000 Français de 15 ans et plus fréquentent quotidiennement les 57 500 cafés (dont le nombre a diminué de moitié depuis 1925).
La bière est l'une des boissons les plus consommées (11 centilitres par jour et par Français), après l'eau minérale et le vin. Elle représente 30 % du chiffre d'affaires des cafés.

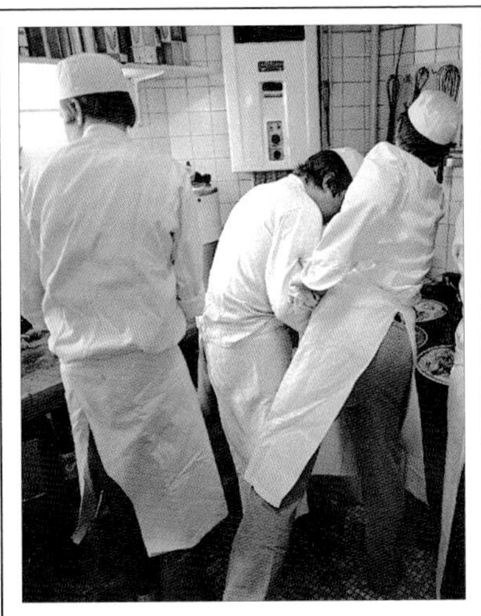

600 000 kg de linge sont utilisés chaque jour dans les 20 020 hôtels, qui offrent 604 268 chambres ; parmi ceux-ci, 2 667 hôtels de chaîne, qui disposent de 212 000 chambres. Leur taux d'occupation moyen est de 50 %. Une nuit dans un 2-étoiles coûte en moyenne 267 francs et 712 francs minimum dans un 4-étoiles.

IMPÔTS

Impôt sur le revenu

Selon les prévisions du projet de loi de finances pour 1997, les Français paieront cette année 800 millions de francs par jour au titre de l'impôt sur le revenu, ce qui fait de cet impôt l'un des plus faibles d'Europe.
De plus, 1 ménage sur 2 ne paie pas d'impôt sur le revenu (contre 15 % des Britanniques). Pour une famille avec deux enfants, le seuil de non-imposition est 2,5 fois plus élevé en France que dans les autres pays de l'Union européenne.

Impôts indirects
Si les ménages français sont relativement épargnés par le fisc en ce qui concerne leurs revenus, la fiscalité indirecte compense largement la fiscalité directe. En 1997, ils devront acquitter chaque jour 2 milliards de francs au titre de la TVA et 128 millions au titre d'autres impôts indirects. Ils paieront en outre 446 millions de francs de produits des douanes, dont 392 millions de TIPP (taxe intérieure sur les produits pétroliers), c'est-à-dire de taxes sur l'essence.

Taxe d'habitation
Les ménages français doivent s'acquitter aussi de la taxe d'habitation. En 1994, elle représentait 165 millions de francs par jour.

Impôt sur les sociétés
L'impôt sur les sociétés représentera, lui, 468 millions de francs chaque jour de 1997.

TAXES
Chaque jour, l'État perçoit 33 millions de francs sur les alcools vendus et 149 millions de francs sur les ventes de tabac.

Fraude fiscale
Selon un rapport réalisé à la demande du Premier ministre en 1996, la fraude fiscale a représenté quotidiennement entre 480 et 640 millions de francs en 1994, soit les deux tiers de l'impôt sur le revenu. Elle concernait essentiellement:
- le travail au noir: entre 270 et 440 millions de francs;
- la TVA: 87 millions de francs;
- l'impôt sur le revenu: 41 millions de francs;
- l'impôt sur les sociétés: 22 millions de francs;
- l'URSSAF: 19 millions de francs.

Successions
Sur les 1470 décès quotidiens de 1994, 850 ont donné lieu à une déclaration de succession: ceux des défunts les plus fortunés. Les héritiers des successions les plus modestes omettent souvent de déclarer une succession de toute façon non imposable.
En moyenne, les défunts laissent un actif de 570000 francs. Pour la moitié des déclarations, la succession est inférieure à 330000 francs. Il y a environ 2,6 héritiers par succession. L'héritage déclaré s'élève en moyenne à 213000 francs (avant droits de mutation).

Donations
Au cours de la même année 1994, 600 donations ont été enregistrées chaque jour, d'un montant moyen de 560000 francs, ce qui a représenté 318000 francs par donataire.

La part de l'État
Le montant des impôts perçus sur les héritages et donations est de 85 millions de francs par jour, soit 11 % des sommes déclarées.

INDUSTRIE

L'industrie française produit chaque jour 50000 tonnes d'acier, soit environ 7 fois le poids de la charpente de la tour Eiffel; 12680 tonnes de verre (hors cristallerie et flaconnerie), soit 133 fois le poids de la pyramide du Louvre; 524 tonnes de tissu, soit l'équivalent de 180000 paires de draps; 49000 tonnes de ciment, de quoi construire un mur de 39 kilomètres de long, 2,5 mètres de hauteur et de 0,20 mètre de large; 1300 GWh d'électricité, soit 38 fois la consommation de Paris, et 11419179 mètres cubes de gaz.

Un jour à Kourou : Ariane au décollage

En Guyane, pseudopode équatorial de l'Hexagone, un jour de lancement est un jour de fièvre. Dix à quatorze fois l'an à Kourou, port spatial de l'Europe, une fusée Ariane (56, 3 mètres de haut) arrache lentement aux griffes de la pesanteur ses 477 tonnes. Poussée totale des 4 moteurs principaux Viking du premier étage et des quatre propulseurs d'appoint : 570 tonnes. 2 tonnes d'ergol (combustible) sont consommées chaque seconde par les moteurs du premier étage. Deux minutes et demie plus tard, les moteurs d'appoint se détachent.
Encore une minute et les réservoirs du premier étage sont asséchés des 226 tonnes d'ergol qu'ils contenaient. C'est environ l'équivalent de la consommation d'un 747 pendant les 8 h 30 du trajet Paris-Cayenne. L'unique moteur Viking du deuxième étage prend le relais. En 2 minutes, il a « sifflé » les 36 tonnes d'ergol à sa disposition. Le moteur à oxygène et hydrogène liquide du troisième étage s'allume à son tour. 13 minutes plus tard, il largue sur une première orbite les 2 satellites de télécommunication qu'il transportait et qui vont désormais être hissés en orbite géostationnaire par leurs propres moteurs.
Coût total moyen de cette brève et intense débauche d'énergie : 130 millions de dollars, facturés aux propriétaires des satellites.

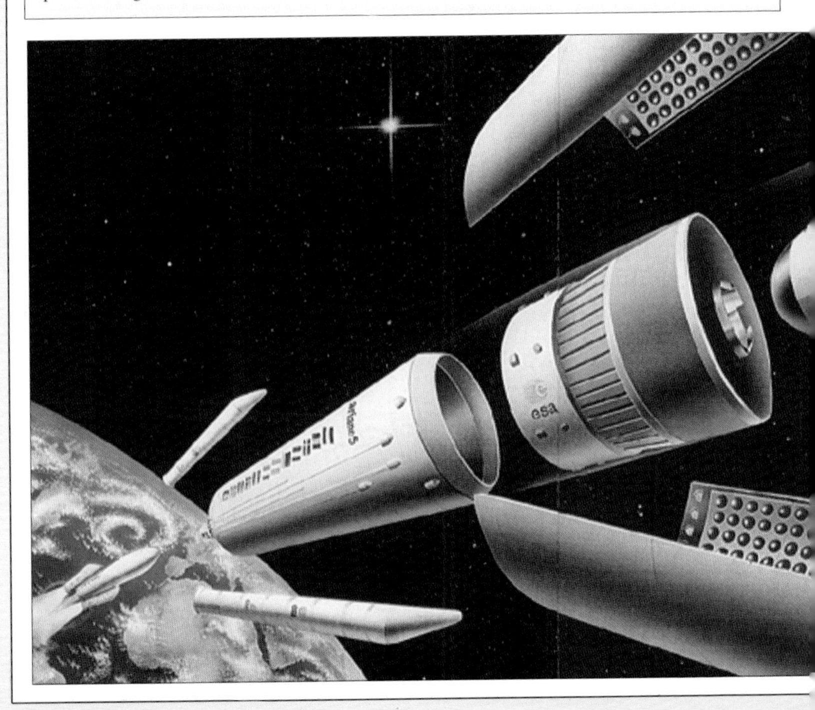

400 personnes sont intervenues sur les 850 kilomètres carrés du Centre spatial guyanais (CSG pour les intimes), du début de la campagne de préparation du lanceur et des satellites jusqu'à la fin des opérations de lancement. Se surajoute, pour le lancement, une centaine de techniciens, venant des 13 pays membres de l'Agence spatiale européenne.
2300 personnes assistent au lancement sur les sites d'observation du CSG.
L'activité spatiale représente, pour la Guyane, 50 % de son PIB. Avec l'entrée en service d'Ariane 5, qui pourra transporter des éléments de la future station orbitale internationale Alpha (dessin ci-dessous), cette manne n'est pas près de cesser de pleuvoir.

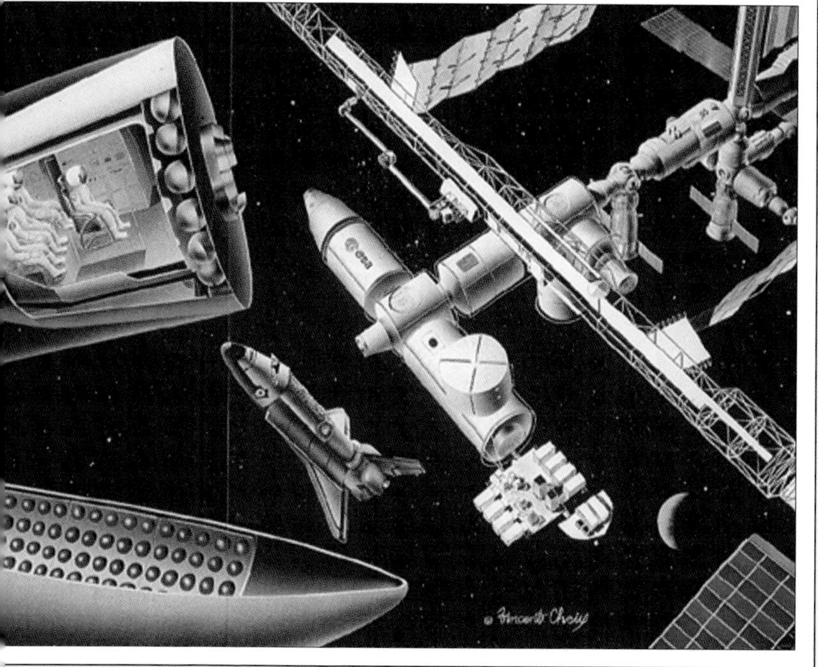

Zoom sur Paris

La sécurité publique

En 1996, le nombre de crimes et délits constatés baisse pour la deuxième année consécutive, et passe à 753,5 par jour. Ce chiffre est le plus bas enregistré depuis 1979, et comprend 390 délits pour vols divers, 97 pour cambriolages et 85 pour délits économiques et financiers. Parmi les 30 déclarations quotidiennes d'agressions sur les personnes, 17,5 font état de coups et blessures volontaires, 1,3 de viol et 1,7 de violence sur mineur. 322 personnes sont arrêtées chaque jour par les différents services de police et 202 remises à la Police judiciaire.

Evolution des vols sur Paris

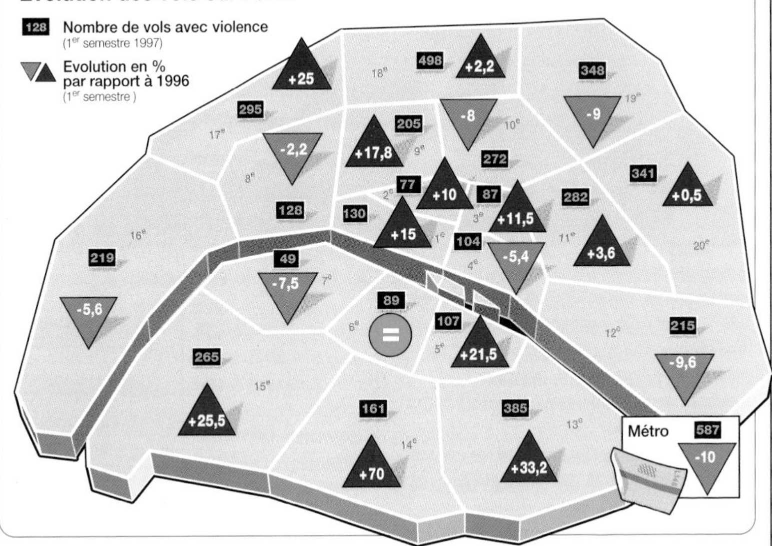

JEUX

Loto, Millionnaire, courses de chevaux, bandits manchots, roulettes, black jack, etc., les Français consacrent chaque jour 197 800 656 francs aux paris et jeux de hasard. En tête, les courses hippiques avec 93 698 630 francs de recette, talonnées de près par la Française des jeux (92 343 056 F), suivie de loin par les casinos (11 758 520 F), derniers de ce tiercé infernal. 34,8 % du chiffre d'affaires de la Française des jeux sont constitués par le Loto, 14,4 % par le Millionnaire et le reste par l'ensemble des autres jeux.
131 506 personnes entrent chaque jour dans un casino. Ce sont les machines à sous, autorisées en France depuis 1988, qui drainent la grosse majorité des mises, à savoir 10 288 705 francs de recettes. L'investissement moyen par joueur et par visite dans les machines est de

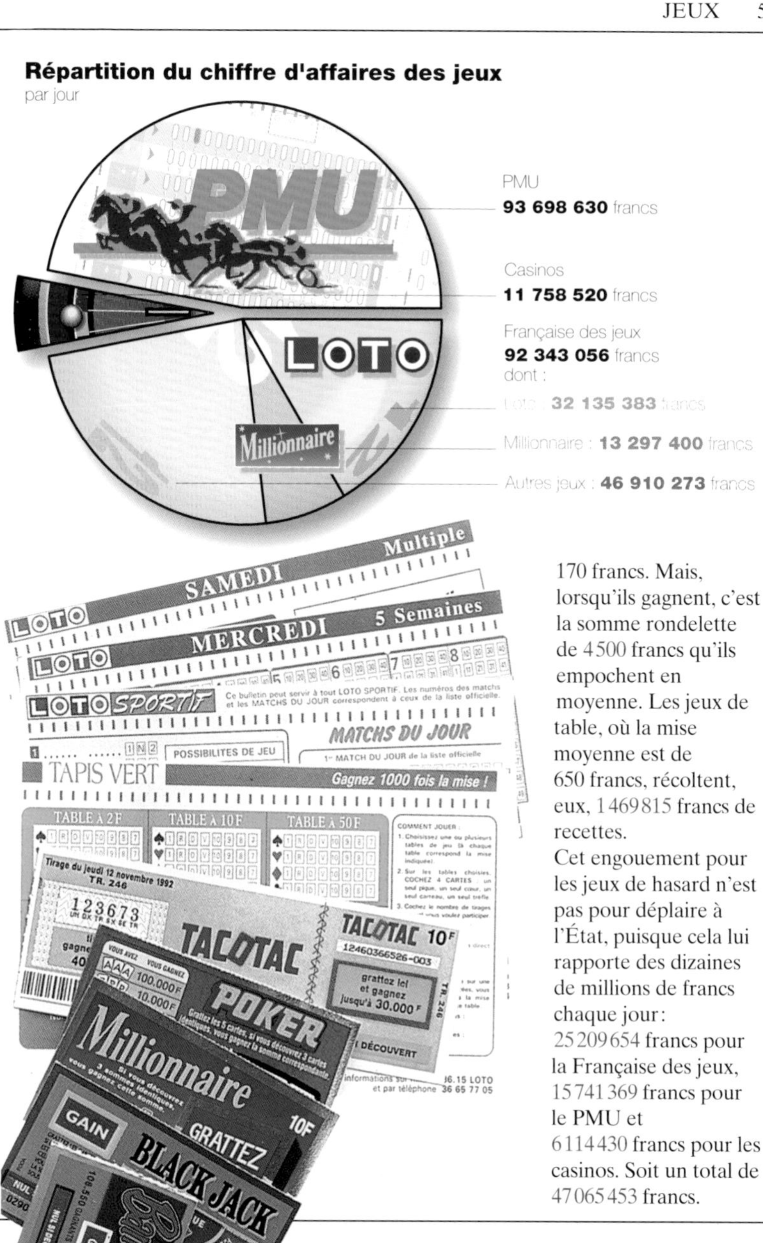

170 francs. Mais, lorsqu'ils gagnent, c'est la somme rondelette de 4500 francs qu'ils empochent en moyenne. Les jeux de table, où la mise moyenne est de 650 francs, récoltent, eux, 1469815 francs de recettes.
Cet engouement pour les jeux de hasard n'est pas pour déplaire à l'État, puisque cela lui rapporte des dizaines de millions de francs chaque jour : 25209654 francs pour la Française des jeux, 15741369 francs pour le PMU et 6114430 francs pour les casinos. Soit un total de 47065453 francs.

J

Un jour au casino de Divonne-les-Bains

Le casino de Divonne-les-Bains est le premier casino de France en chiffre d'affaires. Situé entre la Suisse et le Jura, il accueille chaque jour 2803 personnes, dont plus de 90 % viennent pour les machines à sous. La dépense moyenne par joueur est de 318 francs aux bandits manchots et de 914 francs aux jeux de table.
Ce casino n'est pas seulement un temple du jeu, mais aussi un lieu de loisir et de détente : un hôtel 4 étoiles, 13 salles de séminaire, 4 restaurants (servant 286 repas par jour), 1 golf, 1 théâtre, des installations sportives, des bars (576 consommations servies au bar des machines à sous)...
453 employés, dont la moitié au seul casino, se relaient jour et nuit auprès de la clientèle, ce qui fait du casino le premier employeur de la commune.
Avec un chiffre d'affaires de 624657 francs par jour (après prélèvement fiscal), dont 65 % pour les machines à sous, 20 % pour les jeux de table et 15 % pour la restauration, le casino de Divonne est ainsi le premier contribuable de l'Ain.
L'État lui prélève chaque jour 487698 francs. Et la commune de Divonne-les-Bains, elle, perçoit quotidiennement 103929 francs.

JOUETS

Preuve que les bonnes vieilles billes n'ont pas déserté les cours de récréation : il s'en vend chaque jour 657534. Les éternels Lego, maîtres de tous les jeux de construction, sont vendus à raison de 19178 boîtes.
Quant aux poupées Barbie, 13698 d'entre elles quittent chaque jour les vitrines pour rejoindre la chambre d'une petite fille.
Les consoles de jeux vidéo partent au rythme de 2493 pour Sega et 1178 pour Nintendo.

Les plus grands ont aussi leurs jeux de prédilection : l'institutionnel Monopoly se vend toujours à 1232 exemplaires par jour, le Trivial Pursuit à 383 exemplaires et le Pictionnary à 301 boîtes. Mais le grand vainqueur est le célèbre Scrabble, avec 1920 boîtes vendues par jour.

JOURNAUX

Le chiffre d'affaires de la presse en France s'élève à environ 164 millions de francs, et celle-ci reçoit plus de 18 millions de francs d'aides directes ou indirectes chaque jour. Une activité en hausse pour la troisième année consécutive. Mais qui n'est pas homogène : la presse spécialisée voit son chiffre d'affaires augmenter de 3,1 %, la presse magazine de 2 %, la presse régionale de 1,9 % alors que la presse quotidienne nationale perd 2,9 %.

Les dépêches AFP utilisées par la presse tombent à la vitesse de 2 millions de mots par jour.

Environ 48 % des 50-64 ans et 52 % des plus de 65 ans lisent leur quotidien tous les jours, contre 20 % de moins de 25 ans. 40 % des hommes et 33 % des femmes déclarent lire la presse quotidiennement.

Distribution

La diffusion de la presse écrite est assurée depuis 50 ans par les NMPP (Nouvelles Messageries de la Presse Parisienne). Ainsi, en 1996, ont été distribués chaque jour vers les 31 628 points de vente du territoire 7,6 millions d'exemplaires, soit un tonnage quotidien de 1 408 tonnes.

Les 2 746 employés des NMPP exportent également 2 000 titres – soit 600 000 exemplaires par jour – vers 109 pays.

En 1996, l'activité des NMPP a généré quotidiennement plus de 52 millions de francs de ventes, dont 10 % sur le marché export.

LA ROTATIVE DU POINT

C'est sur deux de ces rotatives offset « nouvelle génération », les Sunday M 3000 conçues par Heildelberg Harris, que Le Point imprime chaque semaine jusqu'à 96 pages de dernières actualités. Elles peuvent imprimer de 65000 à 92000 exemplaires par heure.

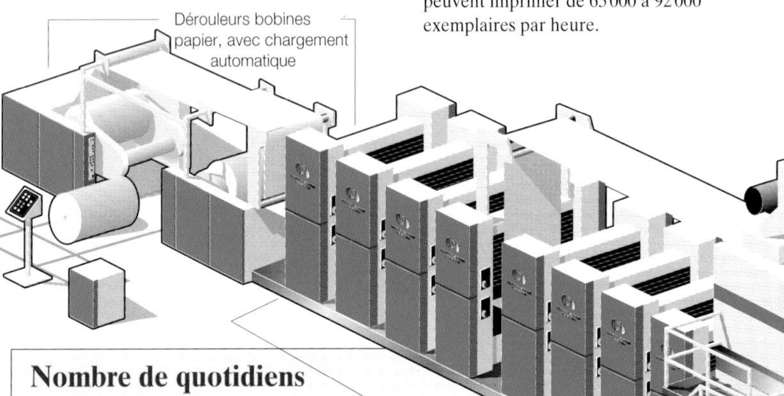

Nombre de quotidiens vendus chaque jour dans les 31628 points de vente

La presse écrite compte 3080 titres, dont 12 relevant de la presse quotidienne nationale (plus de 2 millions d'exemplaires vendus chaque jour) et 63 de la presse quotidienne régionale (plus de 6 millions d'exemplaires par jour).

Quotidiens nationaux

- *Le Parisien*	458051
- *L'Équipe*	384003
- *Le Monde*	367787
- *Le Figaro*	364584
- *France-Soir*	170014
- *Libération*	160654
- *Paris-Turf*	113852
- *Les Échos*	105506
- *La Croix*	91552
- *La Tribune*	72125
- *L'Humanité*	58245

Quotidiens régionaux
(plus de 150000 exemplaires)

- *Ouest-France*	761828
- *Sud-Ouest*	340702
- *La Voix du Nord*	328430
- *Le Dauphiné Libéré*	261530
- *La Nouvelle République du Centre-Ouest*	255049
- *Nice-Matin*	235650
- *L'Est républicain*	219232
- *La Montagne*	219157
- *La Dépêche du Midi*	202190
- *Le Télégramme de Brest*	189401
- *Le Républicain lorrain*	173477
- *Midi Libre*	166060

J

LE POINT

Un numéro moyen du Point (400 000 exemplaires de tirage) nécessite 97 tonnes de papier, soit 1 500 kilomètres de longueur et 173 hectares de superficie. Et il faut 2 tonnes d'encre pour imprimer, pour chaque numéro, en moyenne, 66 175 mots (soit 425 000 signes), ainsi que les photos en quadrichromie et autres filets typographiques.
Chaque semaine, entre 10 000 et 15 000 photos sont consultées et 16 000 dépêches reçues de différentes agences de presse (AFP, Reuter...).
Chaque semaine encore – l'unité de compte pour un hebdomadaire – 5 000 appels téléphoniques arrivent au standard et sur les lignes directes (dont 600 pour le seul service des abonnements) et 5 000 autres sont donnés par la rédaction ou les services administratifs du journal.
50 sacs postaux sont livrés au journal tous les huit jours.

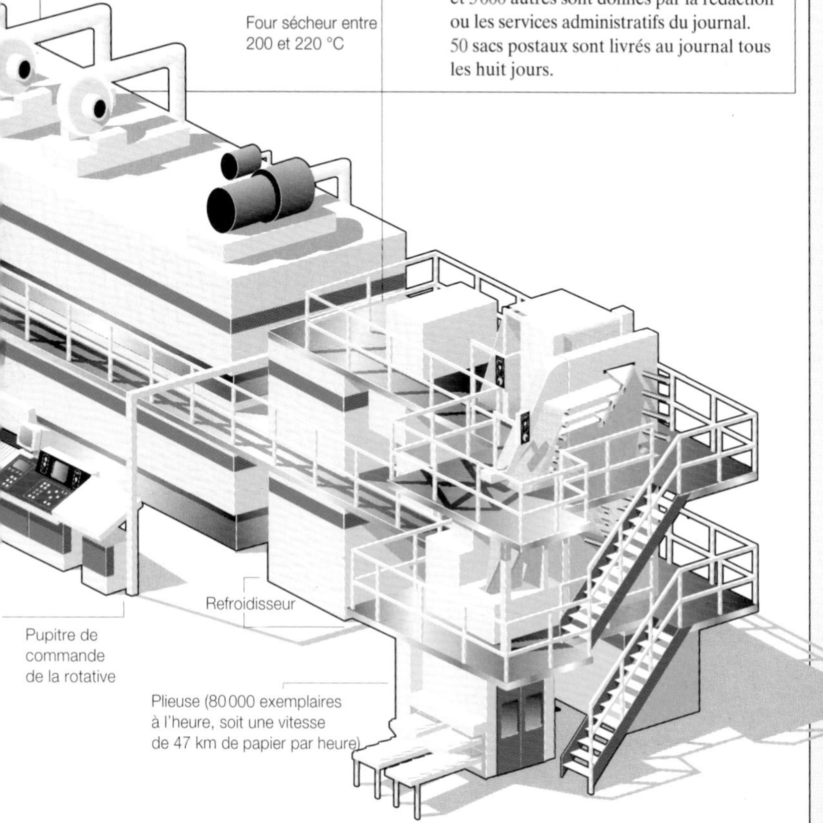

JUSTICE

Phénomène spectaculaire: les Français ont de plus en plus recours à la justice. Ce qui explique principalement l'envolée des affaires qu'elle a à traiter: 2260 par jour il y a vingt ans, 5160 aujourd'hui.

Justice pénale

En matière pénale, il y a eu en 1995 (si l'on ne compte pas les vacances judiciaires) 32112 décisions de justice rendues chaque jour par les différents degrés de juridiction allant des tribunaux de police à la chambre criminelle de la Cour de cassation. Sur ce total, les amendes (28236) représentent l'immense majorité des sanctions. Si l'on ne considère maintenant que les affaires les plus graves – crimes, délits et contraventions de cinquième classe – on tombe à environ 1300 condamnations par jour, dont 6 verdicts de cours d'assises.

L'activité du parquet (qui recouvre le traitement des crimes, délits et contraventions de cinquième classe) peut se mesurer au nombre de procès-verbaux reçus: 14223 chaque jour. Mais sachez que 11403 sont classés sans suite. Dans les affaires les plus graves ou les plus compliquées (délits financiers), le parquet peut demander une instruction: en 1994, 187 personnes ont été mises chaque jour en examen.

Justice civile

En matière civile, les décisions quotidiennes, qu'elles émanent des conseils de prud'hommes, des tribunaux de commerce, des tribunaux de grande instance ou de la Cour de cassation, ont été au nombre de 5512.

Les juges aux affaires familiales (rupture d'union, autorité parentale, contentieux nés d'un divorce...) ont fait l'objet de 867 saisines. 320 divorces ont été prononcés et 83 jeunes étrangers désireux d'acquérir la nationalité française ont

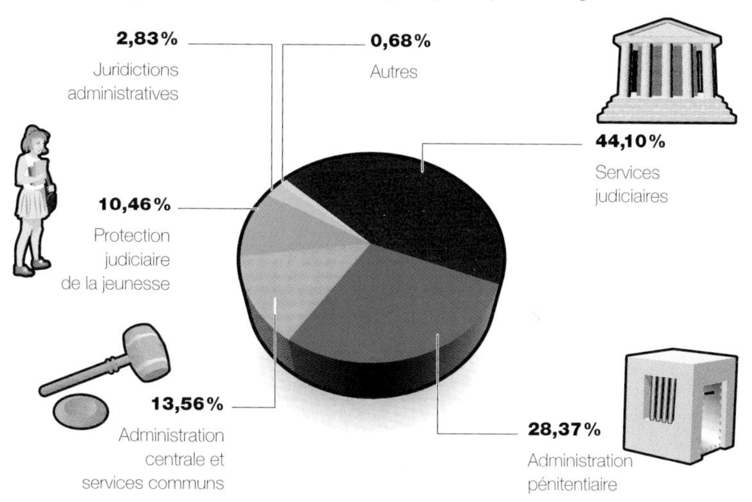

déposé une requête.
En 1995, les bailleurs ont demandé chaque jour au juge d'instance 307 titres exécutoires susceptibles de conduire à l'expulsion d'un locataire. Cela a débouché sur 96 demandes de concours de la force publique, 41 accords de concours de la force publique et finalement 14 expulsions par la force publique.

Justice administrative

313 décisions quotidiennes ont été rendues en 1995 par les juridictions administratives, dont 29 par le Conseil d'État, 33 par les cours administratives d'appel et 251 par les tribunaux administratifs.

Jeunes

En 1995, 365 mesures d'assistance éducative ont été décidées chaque jour par les juges des enfants (exemple : placement en foyer d'enfants en danger).
136 mesures répressives ont été prises à l'encontre de jeunes délinquants par les juges et tribunaux pour enfants.

Code de la route

En 1996, il y a eu 330 permis de conduire retirés chaque jour, dont :
- 23 pour annulation de permis faute de points restants (22 hommes et 1 femme !) ;
- 99 en procédure normale ;
- 8 en procédure d'urgence (exemple : non-respect d'un stop ou d'un feu rouge) ;
- 200 en procédure de rétention immédiate, c'est-à-dire avec immobilisation du véhicule pour cause de *« conduite sous l'empire d'un état alcoolique »*.

Budget

Le budget de la justice s'élève à 65,5 millions de francs par jour.
1 770 demandes d'admission à l'aide juridictionnelle (avocat commis d'office et prise en charge des frais de justice) ont été satisfaites en 1995 (contre 410 en 1972).

LA MAISON D'ARRET DE LA SANTÉ

Le bloc
Gérer une prison, en particulier celle de la Santé, où la population étrangère dépasse les 70 %, exige un savant dosage. Dans le quartier « haut », dit des « blocs », la direction tente de répartir les détenus en fonction de leur origine et de leur obédience religieuse. Dans le bâtiment A sont hébergés les ressortissants d'Europe de l'Ouest, dans le B les Africains, dans le C les ressortissants du Maghreb, et dans le D les Asiatiques et les personnes d'Europe de l'Est. 4 à 6 détenus se partagent des cellules de 12 m².

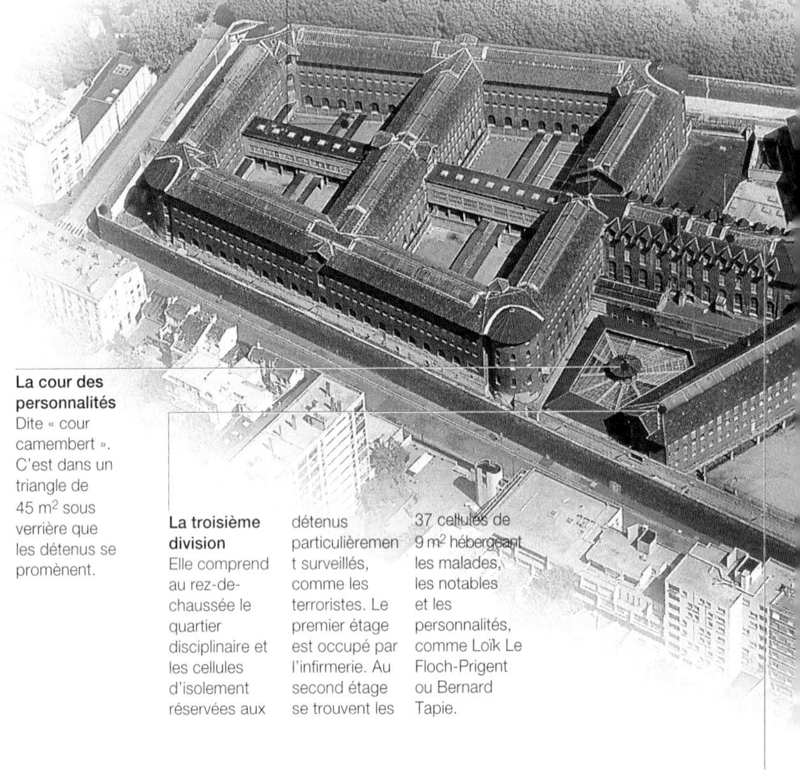

La cour des personnalités
Dite « cour camembert ». C'est dans un triangle de 45 m² sous verrière que les détenus se promènent.

La troisième division
Elle comprend au rez-de-chaussée le quartier disciplinaire et les cellules d'isolement réservées aux détenus particulièrement surveillés, comme les terroristes. Le premier étage est occupé par l'infirmerie. Au second étage se trouvent les 37 cellules de 9 m² hébergeant les malades, les notables et les personnalités, comme Loïk Le Floch-Prigent ou Bernard Tapie.

Les cellules des première et deuxième divisions.
À droite et à gauche en entrant, elles servent à accueillir les nouveaux détenus, à l'exception des personnalités, qui sont, elles, immédiatement conduites dans le quartier qui leur est réservé. Les entrants y passent leur première nuit de détention, le temps qu'on leur trouve une place dans le bloc.

La quatrième division
Elle héberge le service médico-psychologique régional, où sont suivis les détenus souffrant d'une affection mentale.

La cinquième division
Accès au quartier haut, elle est en cours d'affectation à l'unité médicale destinée à la prise en charge des détenus.

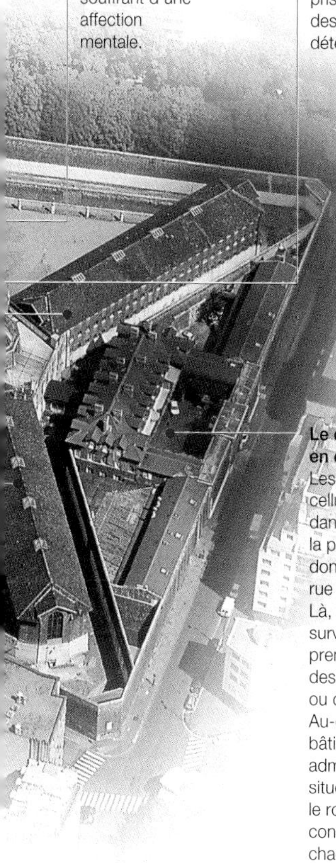

Le quartier en étoile
Les fourgons cellulaires entrent dans la prison par la porte principale donnant sur la rue de la Santé. Là, les surveillants prennent le relais des gendarmes ou des policiers. Au-dessus des bâtiments administratifs situés juste avant le rond-point qui conduit dans chacune des cinq divisions affectées à la détention et aux soins se trouve le logement de fonction du directeur de l'établissement.

Un jour en prison

Chaque jour, en France, 227 personnes sont incarcérées. 19 % le sont après jugement définitif et 81 % avec le seul statut de prévenu. Elles sont un peu moins nombreuses, 224 en moyenne, à quitter les 181 prisons françaises. 62 % sortent pour fin de peine, de loin la première cause de libération (les autres étant, par exemple, la mise en liberté conditionnelle, la condamnation sans peine ou encore la condamnation à une peine couverte par la détention provisoire).
Pour plus de 55 % des détenus, la durée du séjour dans un établissement pénitentiaire varie de un mois à moins de six mois. Ils sont près de 85 % à y rester moins de douze mois.
Si le nombre de détenus était, au 1er juillet 1997, d'un peu plus 58 366 pour 50293 places), il pourrait atteindre le seuil fatidique des 60000 détenus en l'an 2000.
En 1996, le coût de détention moyen par détenu, incluant les frais d'alimentation et les dépenses de santé, s'est chiffré à 299,61 francs par jour.
À la maison d'arrêt de la Santé (voir photo ci-dessus), troisième établissement de France par sa taille, après Fleury-Mérogis et Fresnes, et seule prison parisienne, plus de 1600 détenus s'entassent dans les 1249 places de ce bâtiment datant de 1867.
Mais, malgré la vétusté des locaux, le manque d'hygiène et la promiscuité, beaucoup de détenus disent préférer la Santé aux maisons d'arrêt totalement déshumanisées qui ont été construites récemment.

L

LIVRES : VENTES PAR MATIERE

En 1995, 124 titres ont été publiés chaque jour (51 nouveautés, 12 nouvelles éditions et 61 réimpressions) à 1 121,5 exemplaires.

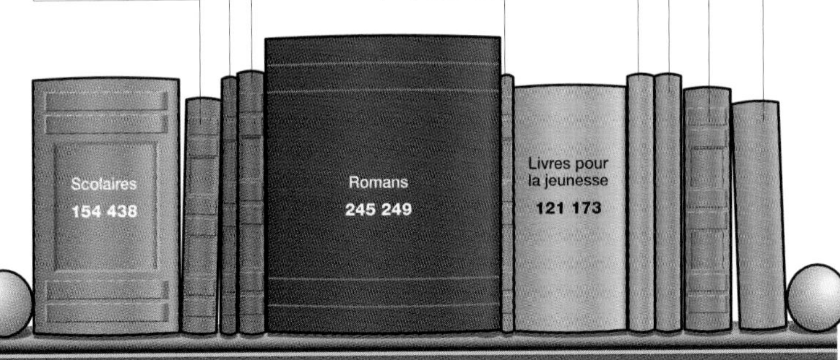

Total : **851 214**. Ce chiffre inclut les **269 112** livres de poche vendus chaque jour. * Chaque jour, **230** Bibles sont vendues.

Zoom sur Paris

Les bibliothèques publiques

25 710 livres sont empruntés chaque jour dans les 64 bibliothèques municipales parisiennes, qui totalisent 325 312 inscrits. La Bibliothèque publique d'information du Centre Georges-Pompidou reçoit à elle seule pas moins de 11 754 visiteurs tous les jours, la Médiathèque de la Villette 4 000, la Bibliothèque Sainte-Geneviève 1 105, et la Bibliothèque historique de la Ville de Paris 133 (avec 280 ouvrages consultés).

Le dépôt légal

Quelque 150 nouveaux livres par jour, 4 930 revues et périodiques, 55 calendriers, tracts ou programmes hippiques, à quoi il faut ajouter des milliers d'heures de programmes télévisés : depuis 1537, aucune production imprimée, audiovisuelle ou multimédia, n'échappe au dépôt légal de la Bibliothèque nationale, rue de Richelieu. Depuis l'ouverture de la Bibliothèque nationale de France, cette charge de collecte et de stockage lui est transférée. 95 % de la production nationale arrive au dépôt. Du reste, une loi de 1952 prévoit une amende de 10 000 à 500 000 francs à l'encontre de tout éditeur qui se montrerait défaillant.

LA BIBLIOTHEQUE NATIONALE DE FRANCE FRANÇOIS-MITTERRAND

❶ Quatre tours de 80 mètres de haut et 18 étages dont :

❷ 11 de magasins dans lesquels se trouvent pas moins de : 10 millions de volumes des fonds patrimoniaux, 400 000 ouvrages en libre accès, 350 000 titres de périodiques, 76 000 microfilms, 950 000 microfiches, 100 000 textes numérisés, 28 000 documents sonores et 62 000 vidéogrammes, rangés sur 395 kilomètres de rayonnages

❸ 7 de bureaux

❹ Esplanade en bois de 60 000 mètres carrés

❺ 2 046 places pour les chercheurs (niveau rez-de-jardin), qui ont accès à la totalité du fonds patrimonial

❻ 1 697 places sont accessibles aux personnes de plus de 18 ans ou titulaires du bac, avec 400 000 ouvrages et 2 450 titres de périodiques en libre accès

❼ Jardin de 12 000 mètres carrés (interdit au public)

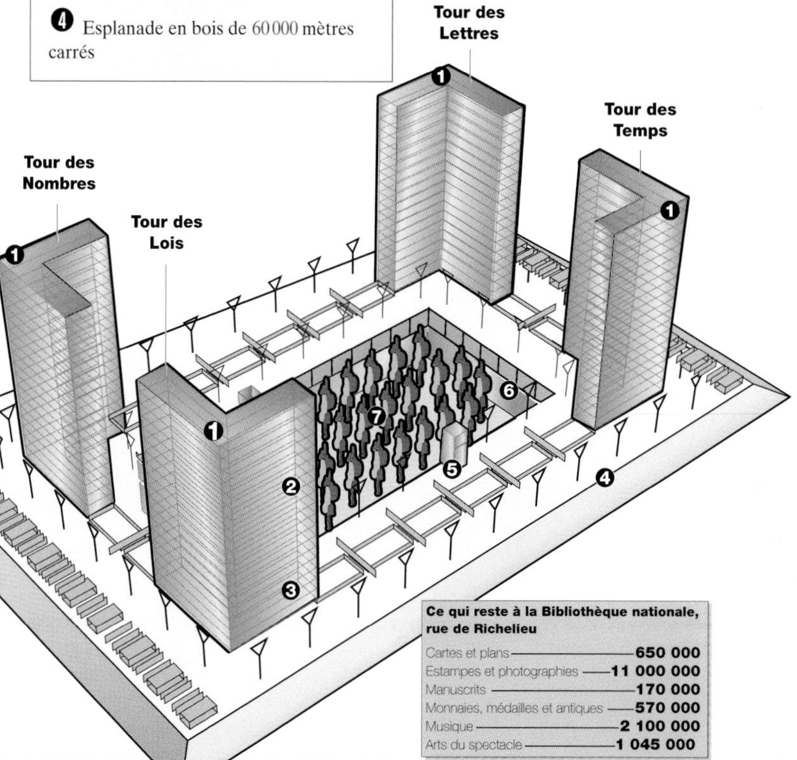

Ce qui reste à la Bibliothèque nationale, rue de Richelieu

Cartes et plans	**650 000**
Estampes et photographies	**11 000 000**
Manuscrits	**170 000**
Monnaies, médailles et antiques	**570 000**
Musique	**2 100 000**
Arts du spectacle	**1 045 000**

LOGEMENT

Mises en construction
746 logements (410 individuels et 336 collectifs) ont été mis en construction chaque jour en 1996, contre 1 521 en 1972.
Chaque jour, 82 logements sont détruits, et 115 perdent leur usage d'habitation. À la baisse aussi, la construction de locaux commerciaux (6 120 m²) et de bureaux (6 521 m²). Dans le même temps, ce sont 274 m² de bureaux qui sont transformés quotidiennement en logements.

Logements sociaux
En 1972, 453 logements sociaux étaient mis en chantier chaque jour, alors qu'en 1997 les organismes HLM vont lancer la construction de 219 nouveaux logements et réhabilitent 82 logements occupés. 740 nouvelles demandes arrivent auprès des organismes HLM chaque jour, mais

seuls 186 logements sont attribués. Les 11 millions de personnes bénéficiaires versent près de 148 millions de francs par jour, au titre des loyers, à l'ensemble des organismes HLM.

Accession à la propriété

359 personnes achètent un logement grâce au prêt à taux zéro. 78 % d'entre elles étaient d'anciens locataires: 274 logements locatifs sont donc libérés par jour.
1 277 logements anciens et 329 maisons individuelles neuves sont vendus chaque jour.
Les logements changent souvent d'affectations. 408 résidences principales deviennent des résidences secondaires ou occasionnelles, alors que, dans le même temps, ce sont 452 résidences secondaires qui deviennent des résidences principales.

Expulsion

Plus de 307 procédures d'expulsion sont engagées chaque jour, pour un parc locatif de 9 millions de logements. 124 jugements d'expulsion sont rendus par les tribunaux d'instance, et 96 font l'objet de demande, auprès des préfectures, pour que la force publique intervienne – ce qu'elle fait dans 14 cas seulement.
Rien qu'à Paris, 41 procédures sont engagées chaque jour, et 34 décisions judiciaires prises.

MÉDICAMENTS

La dépense pharmaceutique des Français, par personne et par jour, est de 5,95 francs (à titre de comparaison, ils dépensent 3,20 francs pour le tabac).
Les Français sont les plus gros consommateurs de médicaments d'Europe (une consommation qui a pratiquement doublé en volume en vingt ans) avec plus de 30 boîtes par personne et par an, contre 22 en Italie, 15 en Allemagne et en Espagne, 10 en Belgique, 6 aux États-Unis et au Danemark. Cet accroissement est surtout lié au vieillissement de la population. Après 80 ans, la consommation atteint 97 boîtes par an.
Ces médicaments sont vendus chaque jour par un des 26 503 pharmaciens d'officine travaillant dans les 22 493 officines privées.

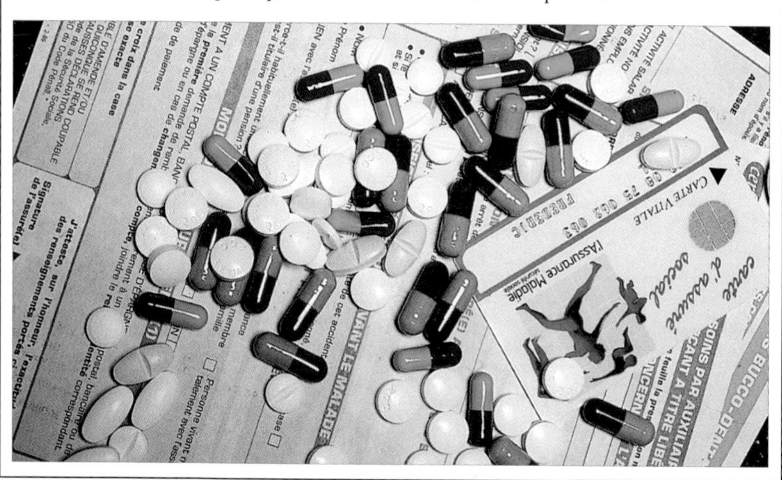

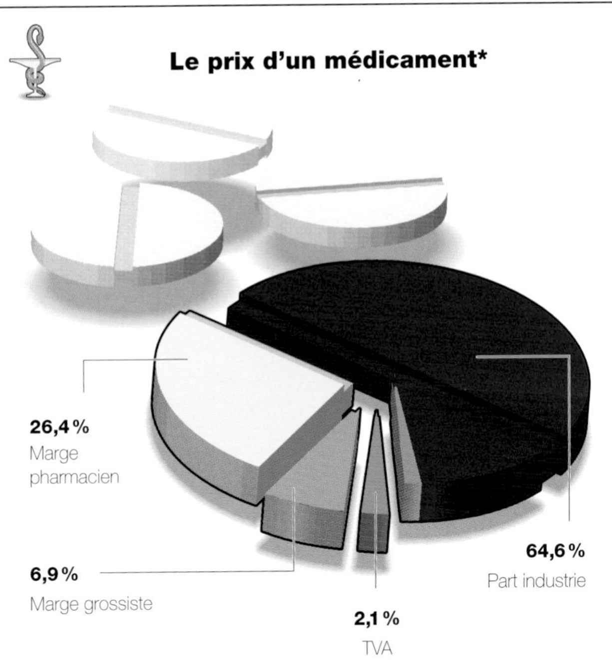

* Prix TTC d'un médicament remboursable en 1996

Si l'on exclut le marché hospitalier, qui se caractérise par une part plus importante des antibiotiques, les médicaments cardio-vasculaires représentent – en valeur – 25 % des ventes. Non plus en francs, mais en boîtes, flacons ou tubes, les Français consomment pour 21,3 % de médicaments soignant le système nerveux (dont 12,6 % d'analgésiques et 7,5 % de psychotropes), 17 % de médicaments soignant les troubles de l'appareil digestif, 15,4 % de médicaments cardio-vasculaires, 13 % de médicaments respiratoires, 8 % d'anti-infectieux (dont 6,3 % d'antibiotiques), 5 % de médicaments dermatologiques. En 1996, le chiffre d'affaires de l'industrie pharmaceutique (pour la médecine humaine) était de 324 millions de francs par jour hors taxe, dont plus du cinquième à l'exportation. La France serait devenue le premier pays producteur de médicaments d'Europe. Les dépenses de recherche et de développement de l'industrie pharmaceutique ont été supérieures en 1995 à 38,4 millions de francs par jour.

MONNAIE

Billets

11,5 millions de billets sont déposés chaque jour dans les guichets des banques françaises.
Environ 1,9 million ne sont pas remis en circulation. 2275 d'entre eux étant

Un jour à la Bourse

Neuf heures, les consoles informatiques s'animent pour le coup d'envoi d'une journée ordinaire au Palais Brongniart, le siège de la Bourse de Paris. Pendant les six heures que va durer la séance du jour, 744 000 actions vont changer de mains. Entreprises, banques et actionnaires individuels vont ainsi troquer l'équivalent de 4 milliards de francs, l'essentiel des ordres étant passé au cours des deux gros rushs de la journée : à l'ouverture (à 10 heures), et autour de 16 heures, à l'heure où Wall Street ouvrira ses portes.

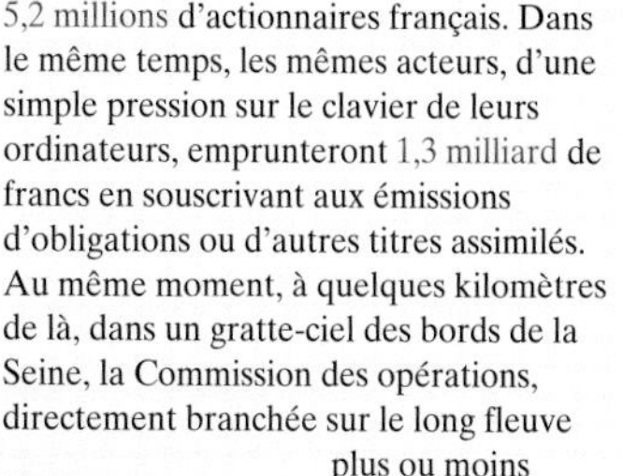

Mais la Bourse ne se contente pas de brasser des capitaux. Elle en apporte aussi de tout frais aux entreprises. Sur les différents marchés du Palais Brongniart, les 891 sociétés cotées qui se lancent ou, plus prosaïquement, étoffent leurs moyens d'action vont mandater les 65 sociétés de Bourse pour lever dans la journée 116 millions de francs de capitaux propres. À elles seules, les banques, assurances et autres institutions financières seront à l'origine de 10 % de cette somme. Et 1 095 nouveaux investisseurs viendront aujourd'hui grossir la masse des 5,2 millions d'actionnaires français. Dans le même temps, les mêmes acteurs, d'une simple pression sur le clavier de leurs ordinateurs, emprunteront 1,3 milliard de francs en souscrivant aux émissions d'obligations ou d'autres titres assimilés.

Au même moment, à quelques kilomètres de là, dans un gratte-ciel des bords de la Seine, la Commission des opérations, directement branchée sur le long fleuve plus ou moins tranquille des transactions, contrôle leur régularité.

Aujourd'hui, elle visera 2 notes d'informations ou prospectus indispensables pour valider les opérations de marché ; donnera son agrément à 3 nouveaux organismes de placement collectif en valeurs mobilières (Sicav ou FCP, fonds communs de placement) ; et recevra dans le même temps 2 plaintes d'épargnants mécontents...

À 17 heures, tout ce petit monde fera ses comptes. Le CAC 40, l'indice des valeurs-phares du marché aura augmenté en moyenne de 1,21 point.

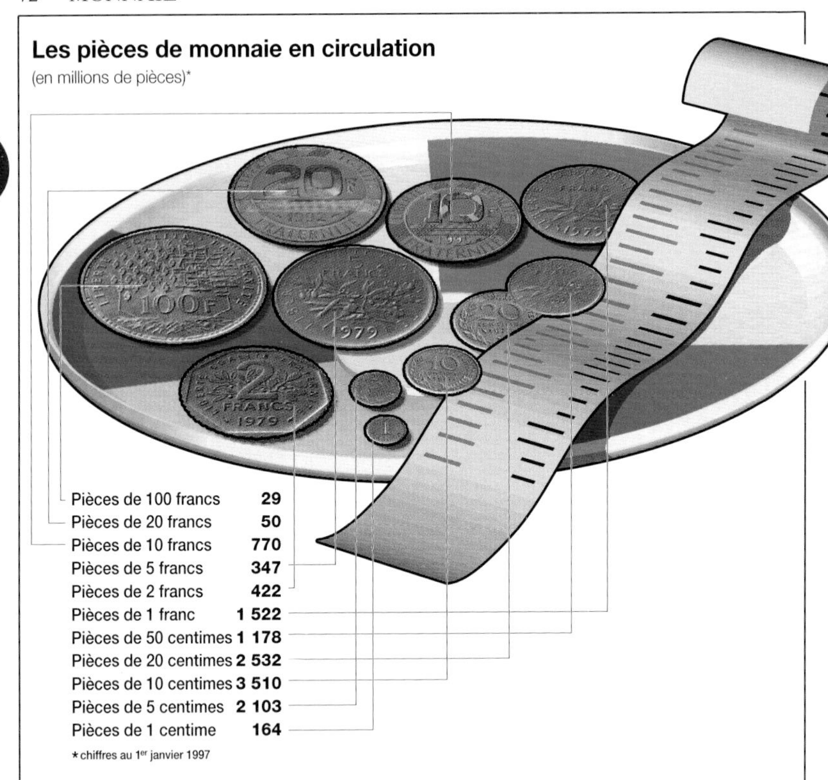

carrément mutilés et les autres trop abîmés sont examinés dans l'usine de la Banque de France à Chamalières (Puy-de-Dôme), qui fabrique quotidiennement plus de 3 millions de billets.

Pièces

Entre 8 et 10 milliards de pièces circulent en France, dont les 2/3 de pièces jaunes.

Près de 1,5 million de pièces d'usage courant, dont 383 520 pièces de 5 centimes, 493 085 de 10 centimes, 383 505 de 20 centimes, 153 365 de 50 centimes ont été frappées chaque jour, en 1996, dans l'usine de Pessac, en Gironde, alors qu'en 1972 environ 887 395 l'étaient quotidiennement.

Plus de 4 millions de pièces seront produites par jour en 1997 pour pallier une évaporation inexpliquée des pièces de 5,10 et 20 centimes. Cette production exceptionnelle vise aussi à libérer les machines pour qu'elles puissent, dès 1998, se consacrer à la production des euros et des cents.

MONUMENTS

Plus de 25 000 personnes, soit toute la population d'une ville comme Carpentras, visitent chaque jour l'un des 90 monuments nationaux français.
16 613 personnes admirent Paris chaque jour du sommet de la tour Eiffel. C'est indiscutablement le monument français le plus fréquenté (le plus repeint, aussi, tous les sept ans, à raison de 60 tonnes de peinture et de 40 000 heures de travail).
Assez loin derrière, on trouve l'Arc de Triomphe, avec 3 046 entrées.
Juste après, le Mont-Saint-Michel, avec ses 2 505 visiteurs, et le château de Chambord, avec 2 406 entrées, sont les monuments de province pour lesquels les touristes français (59 %), comme les étrangers (surtout des Allemands), se déplacent le plus.
La Sainte-Chapelle enregistre 1 933 entrées par jour, les châteaux du Haut-Kœnigsbourg et d'Azay-le-Rideau, respectivement, 1 844 et 988 visiteurs.
Le Panthéon, et les grands hommes qu'il abrite, voit défiler environ 950 personnes chaque jour, alors que près de 590 personnes sont parties à la recherche de Quasimodo sur les tours de Notre-Dame de Paris.

M

MUSÉES

Ce sont chaque jour 34 950 personnes, dont 7 573 gratuitement, qui visitent les musées nationaux français.
Avec ses 15 016 entrées quotidiennes, le Louvre détient le record des fréquentations en France.

À Paris

La grosse machine qu'est le Centre Georges-Pompidou reçoit certes 20 165 visiteurs, mais 11 754 pour la bibliothèque.
Vient ensuite la Cité des sciences, avec 11 319 visiteurs.
Versailles – 9 334 entrées – reçoit en moyenne 70 % d'étrangers, dont 30 % de langue anglaise, 24 % de Japonais, 13 % d'Allemands et 10 % d'Espagnols. La durée moyenne d'une visite est de 1 h 30.
Sur les 6 822 visiteurs d'Orsay, 10 % sont

Un jour au Louvre

Le budget du Louvre, en 1996, s'élevait à presque 2 millions de francs par jour (pris en charge à 73 % par l'État), dont plus de 535 000 francs provenant des ressources propres du musée : 377 000 francs de la vente de billets d'entrée, 51 000 francs des produits des concessions, 41 500 francs du parrainage et plus de 38 000 francs des activités culturelles du musée. Sont également inclus dans ce budget les 400 000 francs alloués au Louvre par la Réunion des musées nationaux pour l'acquisition d'œuvres et les 61 000 francs consacrés à la restauration des œuvres.
La Société des amis du Louvre compte 60 000 membres (contre 25 000 en 1988) qui n'hésitent pas à offrir près de 45 000 francs par jour pour la rénovation et l'acquisition d'œuvres.
Alors qu'avant le projet Grand Louvre la superficie était de 31 200 mètres carrés, en décembre 1997, date prévue pour la fin des travaux, la superficie des salles d'exposition atteindra 60 755 mètres carrés (sur les 160 200 que compte le musée dans son intégralité), répartis dans les 13 départements du musée. À quoi il faut ajouter 22 300 mètres carrés pour l'accueil, 77 200 mètres carrés pour les locaux techniques et 1 200 mètres carrés pour l'auditorium. Les collections du Louvre s'élèvent à environ 420 000 œuvres au total, dont 30 615 sont exposées dans le musée.

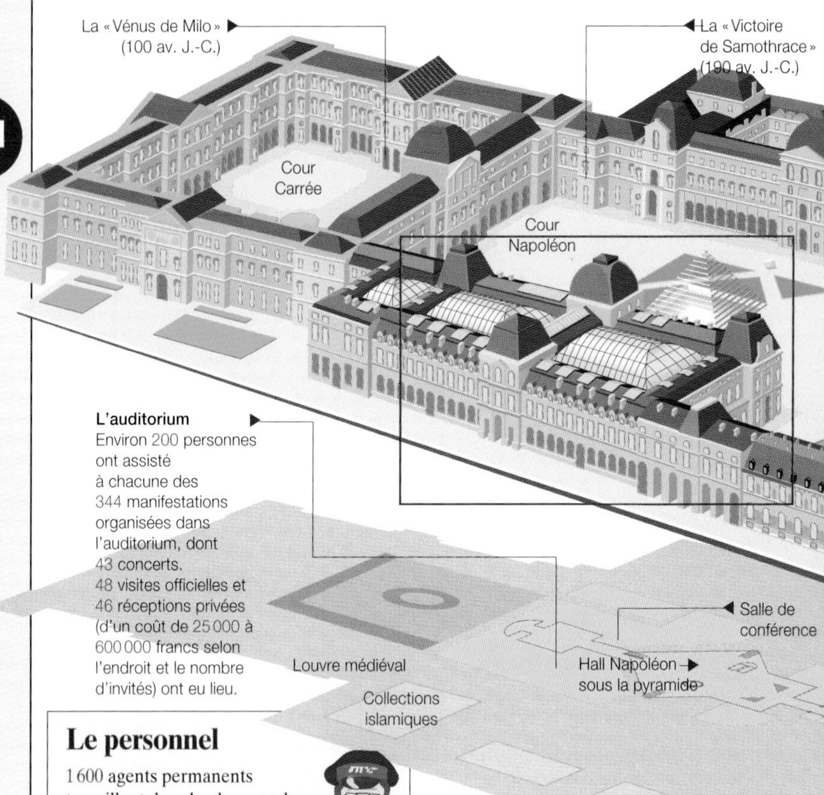

L'auditorium
Environ 200 personnes ont assisté à chacune des 344 manifestations organisées dans l'auditorium, dont 43 concerts. 48 visites officielles et 46 réceptions privées (d'un coût de 25 000 à 600 000 francs selon l'endroit et le nombre d'invités) ont eu lieu.

Le personnel

1 600 agents permanents travaillent dans le plus grand musée du monde : 610 surveillants, 70 personnes chargées de l'accueil, des caisses et des vestiaires, 173 ouvriers et techniciens, 110 scientifiques (dont 56 conservateurs), 202 personnels administratifs et 427 agents vacataires (en moyenne chaque mois).

Les boutiques
En 1996, les boutiques du musée du Louvre ont fait un chiffre d'affaires quotidien d'environ 333 000 francs grâce à la vente de 6 390 cartes postales, dont 639 de « La Joconde », de 320 posters, de 1 915 livres dont 640 guides, et des marque-page, diapos et objets divers.

99, rue de Rivoli

LE MUSÉE DU LOUVRE

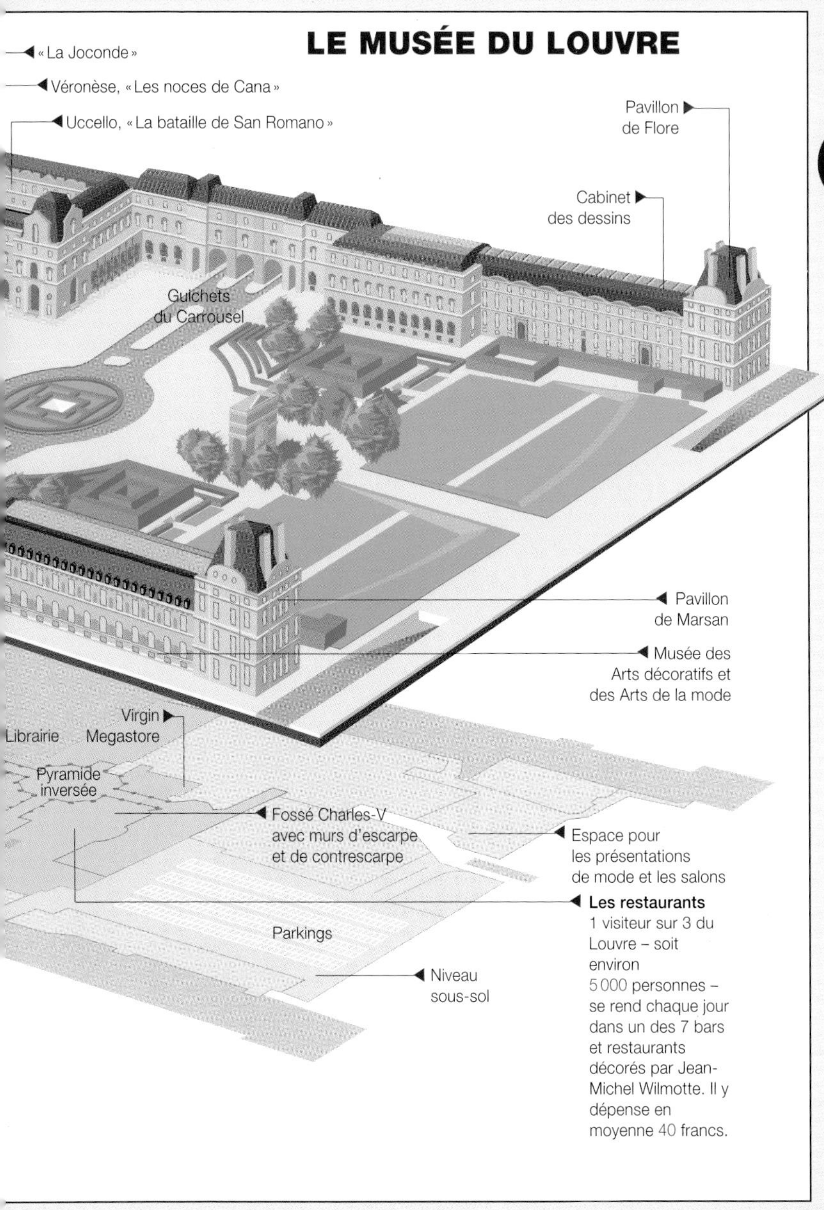

Les restaurants
1 visiteur sur 3 du Louvre – soit environ 5 000 personnes – se rend chaque jour dans un des 7 bars et restaurants décorés par Jean-Michel Wilmotte. Il y dépense en moyenne 40 francs.

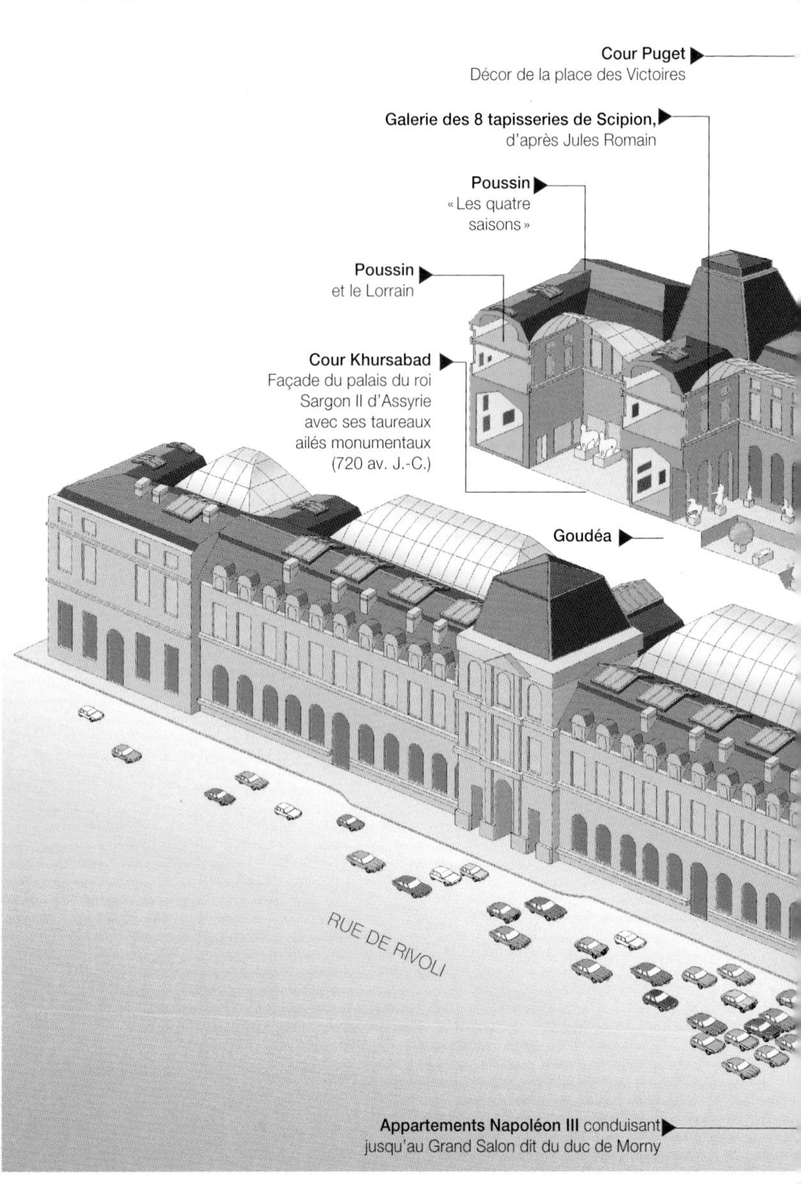

Cour Puget
Décor de la place des Victoires

Galerie des 8 tapisseries de Scipion,
d'après Jules Romain

Poussin
« Les quatre saisons »

Poussin
et le Lorrain

Cour Khursabad
Façade du palais du roi Sargon II d'Assyrie avec ses taureaux ailés monumentaux (720 av. J.-C.)

Goudéa

RUE DE RIVOLI

Appartements Napoléon III conduisant jusqu'au Grand Salon dit du duc de Morny

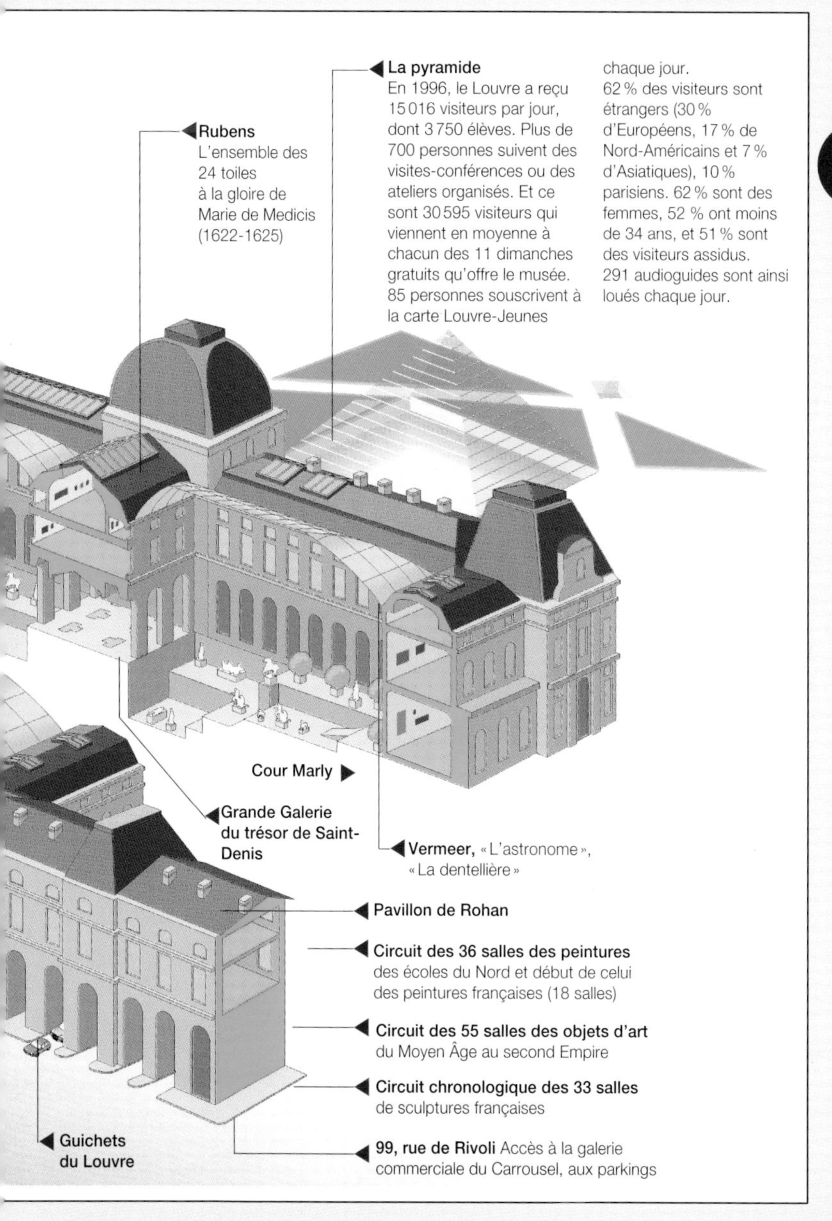
La pyramide
En 1996, le Louvre a reçu 15 016 visiteurs par jour, dont 3 750 élèves. Plus de 700 personnes suivent des visites-conférences ou des ateliers organisés. Et ce sont 30 595 visiteurs qui viennent en moyenne à chacun des 11 dimanches gratuits qu'offre le musée. 85 personnes souscrivent à la carte Louvre-Jeunes chaque jour. 62 % des visiteurs sont étrangers (30 % d'Européens, 17 % de Nord-Américains et 7 % d'Asiatiques), 10 % parisiens. 62 % sont des femmes, 52 % ont moins de 34 ans, et 51 % sont des visiteurs assidus. 291 audioguides sont ainsi loués chaque jour.
Rubens
L'ensemble des 24 toiles à la gloire de Marie de Medicis (1622-1625)
Cour Marly
Grande Galerie du trésor de Saint-Denis
Vermeer, « L'astronome », « La dentellière »
Pavillon de Rohan
Circuit des 36 salles des peintures des écoles du Nord et début de celui des peintures françaises (18 salles)
Circuit des 55 salles des objets d'art du Moyen Âge au second Empire
Circuit chronologique des 33 salles de sculptures françaises
Guichets du Louvre
99, rue de Rivoli Accès à la galerie commerciale du Carrousel, aux parkings
M

M

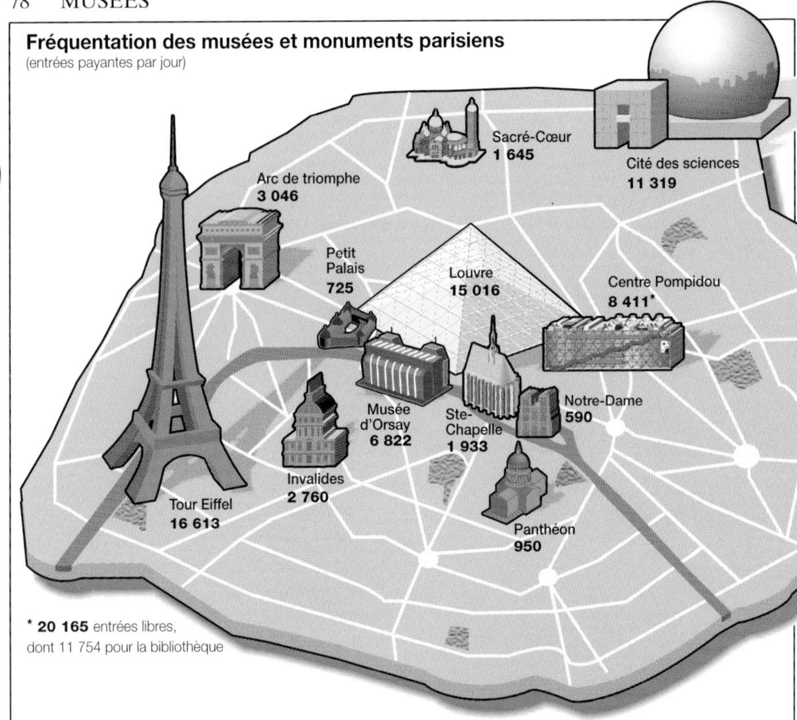

Zoom sur Paris

Les monuments et musées

Sur les 134 musées que compte la capitale, 14 sont nationaux, 14 appartiennent à la Ville de Paris, et les autres sont privés.
Le Centre Georges-Pompidou est sans conteste le site le plus fréquenté, avec ses 20165 visiteurs quotidiens. La tour Eiffel « affiche » 16613 personnes et le Louvre 15016 entrées journalières.
On compte aussi pas moins de 2365 visiteurs sur le tombeau de Napoléon, 1060 pour le musée d'Art moderne, 950 pour le Panthéon, 725 pour le Petit Palais, 650 pour la Conciergerie, et 550 pour le musée Carnavalet.

des familiers des musées et expositions, 40 % des visiteurs réguliers et 50 % des visiteurs occasionnels ou des touristes. On note une proportion équivalente de touristes étrangers – surtout nord-américains et japonais – et français. Les femmes sont les plus nombreuses à fréquenter le musée, fait avéré pour l'ensemble des musées français.
Les grandes expositions ne sont pas en reste : au Grand Palais, l'exposition Corot, qui s'est tenue du 2 mars au 27 mai 1996, a attiré une moyenne de 4399 visiteurs par jour, et l'exposition Cézanne, qui a eu lieu du 30 septembre 1995 au 14 janvier 1996, a reçu quotidiennement 6480 visiteurs.

GROTTES
Elles attirent en France plus de 15 000 personnes par jour : Padirac (1 095), Lascaux (685)... et génèrent un chiffre d'affaires quotidien de 515 000 francs.

En province
On s'en doute, les musées de province connaissent une fréquentation moins importante que ceux de la capitale. Avec 910 entrées quotidiennes, le musée d'Unterlinden, à Colmar, a reçu le plus de visiteurs. Viennent ensuite le musée de la Mer à Biarritz, avec environ 800 entrées, le musée Matisse à Nice et le musée des Beaux-Arts de Lyon, avec 614 entrées chacun, et le musée des Beaux-Arts de Nantes, avec 473 entrées quotidiennes.

Le musée Fernand-Léger de Biot reçoit en moyenne 90 visiteurs chaque jour, alors que l'exposition consacrée à l'artiste, présentée au Centre Georges-Pompidou à partir du 29 mai 1997, a attiré pas moins de 2600 visiteurs en moyenne chaque jour, la première semaine.

MUSIQUE

De moins en moins de vinyles (636 disques vendus chaque jour) et de K7 (40181), de plus en plus de CD (349539).
1 CD vendu sur 5 est un format court (82 596 singles pour 266943 albums), contre 1 sur 10 en 1994.
Le chiffre d'affaires du marché du disque de musique classique est de 1,5 million de francs par jour pour 30992 albums vendus ; celui du disque de variété est de 17,4 millions de francs pour

M

189 470 disques francophones et 160 490 de variété internationale. Loin derrière se trouvent les ventes de disques de jazz avec 9 404 albums vendus par jour.
7 titres francophones se trouvent parmi les 15 meilleures ventes d'albums en 1996, parmi lesquels Céline Dion, Johnny Hallyday ou encore Eddy Mitchell.
En ce qui concerne le marché des instruments de musique, il a connu en un an une légère augmentation (+ 1,3 %) avec plus de 9,3 millions de francs de chiffre d'affaires quotidien. Ce sont ainsi, entre autres, 24 accordéons, 34 batteries, 47 pianos, 1 021 guitares qui sont vendus chaque jour.
On estime à 20 383 le nombre d'élèves des conservatoires et écoles nationales de musique prenant des cours de piano, et à 11 009 ceux prenant des cours de violon. Impossible de chiffrer le nombre de cours particuliers.

ORDURES

Ordures ménagères
Alors qu'en 1975 chaque Français produisait en moyenne 0,7 kilo d'ordures ménagères par jour, aujourd'hui ce chiffre est passé à 1,14 kilo, soit un total de 416 kilos par an et par habitant.
Ce sont aussi environ 150 litres d'eaux usées qui sont rejetés par personne chaque jour.
La gestion des déchets ménagers coûte aux ménages plus de 104 millions de francs chaque jour (dont 37 % pour les eaux usées et 40,3 % pour les déchets), soit environ 2 francs par habitant.
Chaque jour, environ 33 000 tonnes de déchets ménagers sont mises en décharge, 19 000 tonnes sont incinérées avec une valorisation énergétique, et 4 000 tonnes sont recyclées.

Zoom sur Paris

Les déchets

3453 tonnes de déchets ménagers sont produites chaque jour à Paris, dont 3288 tonnes d'ordures ménagères, 60 tonnes de verre et 57,5 tonnes de journaux et magazines. Dans le même temps, 226 tonnes d'objets encombrants sont collectées.
6712 tonnes de déchets sont traitées chaque jour, ce qui permet de récupérer 10685 tonnes de vapeur pour le chauffage urbain de la capitale. 44 % de l'énergie nécessaire pour ce réseau provient de l'incinération des ordures ménagères.
Alors qu'en 1960 le Parisien produisait 0,8 kilo d'ordures ménagères par jour, aujourd'hui ce chiffre est passé à 1,5 kilo de déchets par habitant, dont 50 % environ d'emballages.

Ordures industrielles
Seuls 5 % des 411000 tonnes de déchets industriels produits chaque jour sont considérées comme toxiques ou dangereuses – 4000 tonnes viennent de l'industrie chimique. Les autres 95 % sont des déchets dits inertes ou banals – 274000 tonnes de déblais et gravats (inertes), 110000 tonnes de bois, papier et carton, verre, métaux, plastiques, caoutchouc, textile, cuir, mélange (banals). Le montant de la gestion par les entreprises des déchets et eaux usées s'élève à environ 114 millions de francs chaque jour. 36 % des eaux usées et 23 % des déchets sont éliminés sur place, et le reste est pris en charge par des entreprises externes.

Ordures agricoles
Plus de 1 million de tonnes de déchets agricoles sont produits chaque jour, dont 767123 tonnes pour l'élevage, 191781 tonnes pour les cultures et forêts, et 136986 tonnes pour les industries agroalimentaires.

Ordures hospitalières
1918 tonnes de déchets hospitaliers sont produites chaque jour, pour la plupart incinérées.

Ordures nucléaires
68,5 mètres cubes de déchets radioactifs chaque jour, dont 90 % sont collectés, triés et stockés.

Les ordures ménagères : production et recyclage par an

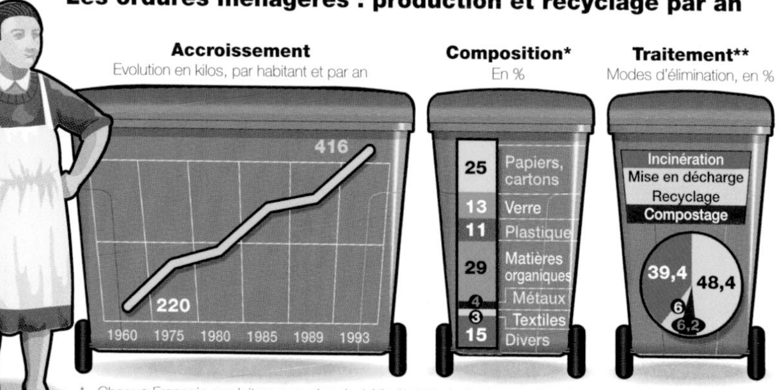

* Chaque Français produit un peu plus de 1 kilo (1,14 kg) d'ordures ménagères par jour.
** Les ordures ménagères représentent 21 millions de tonnes contre 140 millions pour les déchets industriels.

P

PARIS

Population
En 1995, la population de la capitale était de 2157459 habitants, soit une densité de 20421 habitants au kilomètre carré.

Les déplacements
Paris est une véritable ruche humaine dans laquelle pas moins de 6656000 déplacements sont effectués chaque jour, tous modes de transport confondus, dont 3529000 à pied. Chaque habitant d'Ile-de-France (de 6 ans minimum) effectue en moyenne 3,67 déplacements quotidiens, d'une durée de 24 minutes chaque fois, sur un trajet d'environ 20 kilomètres.

Les transports en commun
Métro et RER
Les Franciliens effectuent chaque jour 6500000 voyages, pilotés par les 3357 conducteurs de métro et de RER qui parcourent 721644 kilomètres. Les voitures font l'équivalent de 1,3 fois la distance Terre-Soleil chaque année. On compte 201,5 kilomètres de lignes de métro qui desservent 372 stations, et 115,1 kilomètres de lignes de RER, pour 66 gares.
La consommation quotidienne en électricité sur le réseau est de 1,7 million de kwh, plus du double de la consommation annuelle pour l'éclairage et le fonctionnement de la tour Eiffel. Saint-Lazare et Montparnasse-Bienvenuë sont les stations de métro les plus fréquentées, avec respectivement 79452 et 74520 voyageurs chaque jour, loin devant Châtelet et Opéra, avec 33425 voyageurs chacune. Chaque jour, 494 rames sont contrôlées par la police, 6 agressions ou délits sont commis et 52 personnes sont conduites au poste, dont 21 mises à la disposition de la Police judiciaire.
Autobus
Les autobus et leurs 9448 machinistes parcourent 381096 kilomètres tous les jours, soit plus de 46 fois la distance

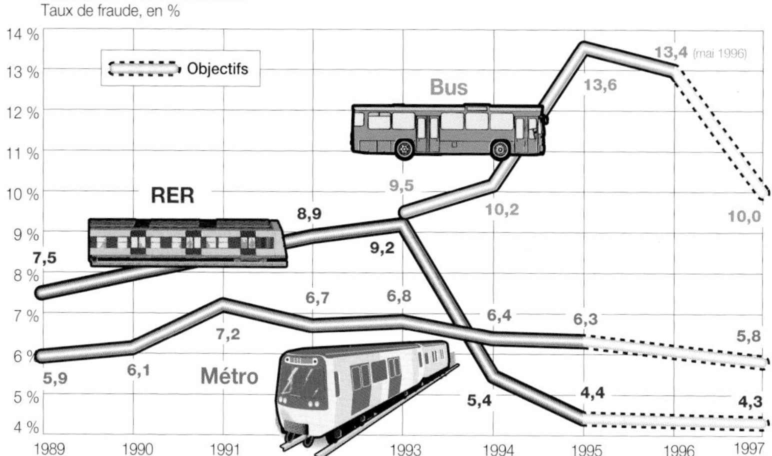

Paris-Pékin, et assurent 2 millions de voyages. 262 lignes d'autobus suivent un réseau d'une longueur totale de 2775 kilomètres.

C'est indiscutablement la ligne PC (petite ceinture) qui reçoit le plus de passagers, avec 98355 voyages chaque jour.

2 agressions ou délits sont commis quotidiennement dans les autobus.

Batobus

3 batobus desservent tous les jours 5 stations. 315 voyageurs empruntent quotidiennement cet original mais onéreux moyen de transport.

Trains (réseau Ile-de-France)

Chaque jour 5000 trains de banlieue transportent 1479452 voyageurs qui parcourent, en moyenne, 18 kilomètres chacun.

La gare de Lyon voit chaque jour 70865 voyageurs passer sur ses quais, la gare du Nord, 58165, et la gare d'Austerlitz, seulement 26137.

La circulation

1 million de véhicules motorisés se déplacent chaque jour dans Paris intra-muros et 1,1 million sur le périphérique. Chaque véhicule fait quotidiennement un trajet moyen de 8 kilomètres à l'intérieur de Paris et de 7 kilomètres sur le périphérique.

20381 contraventions pour stationnement interdit ont été dressées chaque jour de 1996, 149 pour circulation dans les couloirs d'autobus, 117 pour excès de vitesse, et 12 suspensions de permis de conduire ont été prononcées. 700 voitures sont enlevées par les 6 sociétés de dépannage privées, utilisant 50 dépanneuses, qui se partagent le marché de la fourrière. 241096 francs, c'est la somme payée chaque jour par les automobilistes pour récupérer leur voiture. Il y a dans la capitale 143000 places de stationnement payantes et 230000 non payantes. 1878 contractuels arpentent les trottoirs de la capitale.

14900 taxis sont empruntés chaque jour par 300000 personnes. Un taxi fait environ 20 courses par jour. On déplore chaque jour 31 blessés dus à des accidents de la circulation routière.

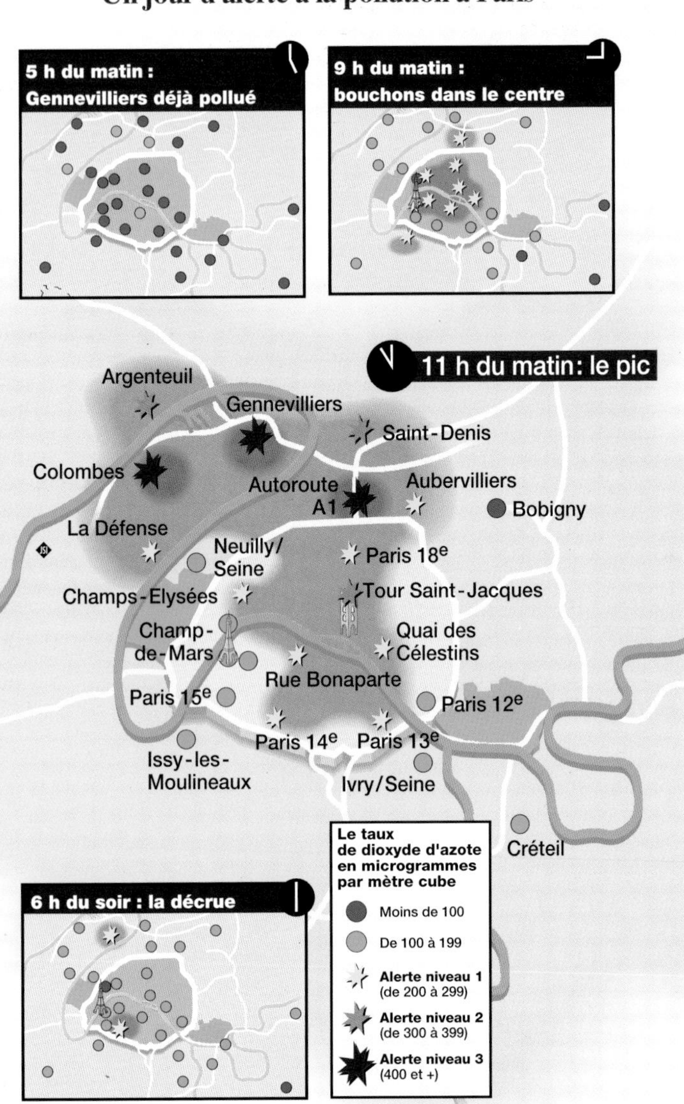
Un jour d'alerte à la pollution à Paris
5 h du matin : Gennevilliers déjà pollué
9 h du matin : bouchons dans le centre
11 h du matin: le pic
Argenteuil
Gennevilliers
Saint-Denis
Colombes
Autoroute A1
Aubervilliers
Bobigny
La Défense
Neuilly/Seine
Paris 18e
Champs-Elysées
Tour Saint-Jacques
Champ-de-Mars
Quai des Célestins
Rue Bonaparte
Paris 15e
Paris 12e
Paris 14e
Paris 13e
Issy-les-Moulineaux
Ivry/Seine
Créteil
6 h du soir : la décrue
Le taux de dioxyde d'azote en microgrammes par mètre cube
Moins de 100
De 100 à 199
Alerte niveau 1 (de 200 à 299)
Alerte niveau 2 (de 300 à 399)
Alerte niveau 3 (400 et +)

Budget de la ville
Le budget de fonctionnement de la Ville de Paris s'élève à un peu plus de 73 millions de francs par jour, dont 22 % vont aux actions sociales (allocations, centres sociaux, etc.), 16 % à l'entretien de la ville et la voirie, 13 % au logement et l'urbanisme, 12 % aux services généraux, 10 % à l'éducation, 5 % aux transports.
Ainsi, par exemple, les dépenses de personnel s'élèvent à près de 23 millions de francs, et celles de l'aide sociale à 11,4 millions chaque jour. 5,5 millions de francs vont au service de la propreté. La contribution de la Ville à la Préfecture de police est de 3,2 millions de francs, et au Syndicat des transports parisiens de 4,5 millions.

Mairies
On ne chôme pas dans les mairies parisiennes, où pas moins de 27 mariages sont célébrés chaque jour, 112 déclarations de naissance et 51 de décès enregistrées.
Plus de 6555 fiches d'état civil, 5180 actes de naissance, mariage, décès, reconnaissance d'enfant, etc., 110 livrets de famille ou duplicatas sont délivrés tous les jours.
Déléguées par la Préfecture de police, les mairies établissent quotidiennement 380 cartes d'identité et 513 passeports.

OBJETS TROUVÉS
Chaque jour de 1996, 325 objets ont été déposés aux objets perdus et 153 ont été restitués.

Propreté
Le service de la propreté de la Ville de Paris compte 7500 agents et dispose de 1500 véhicules.
La rue
300 000 mètres cubes d'eau puisés dans la Seine sont utilisés chaque jour pour nettoyer les 2375 kilomètres de trottoirs, 15 kilomètres carrés de chaussées et 2200 kilomètres de caniveaux. Plus de 1000 mètres cubes de feuilles mortes sont ramassés à l'automne, chaque jour, dans les rues parisiennes.
Pollution
Les 6,5 tonnes de poussières et 32 tonnes de dioxyde de soufre (SO_2) sont émises principalement par les industries et le chauffage, alors que les transports sont en grande partie responsables des 50 tonnes d'oxydes d'azote (NO_x) émises.
Services sociaux
Budget
22 % du budget de fonctionnement de la

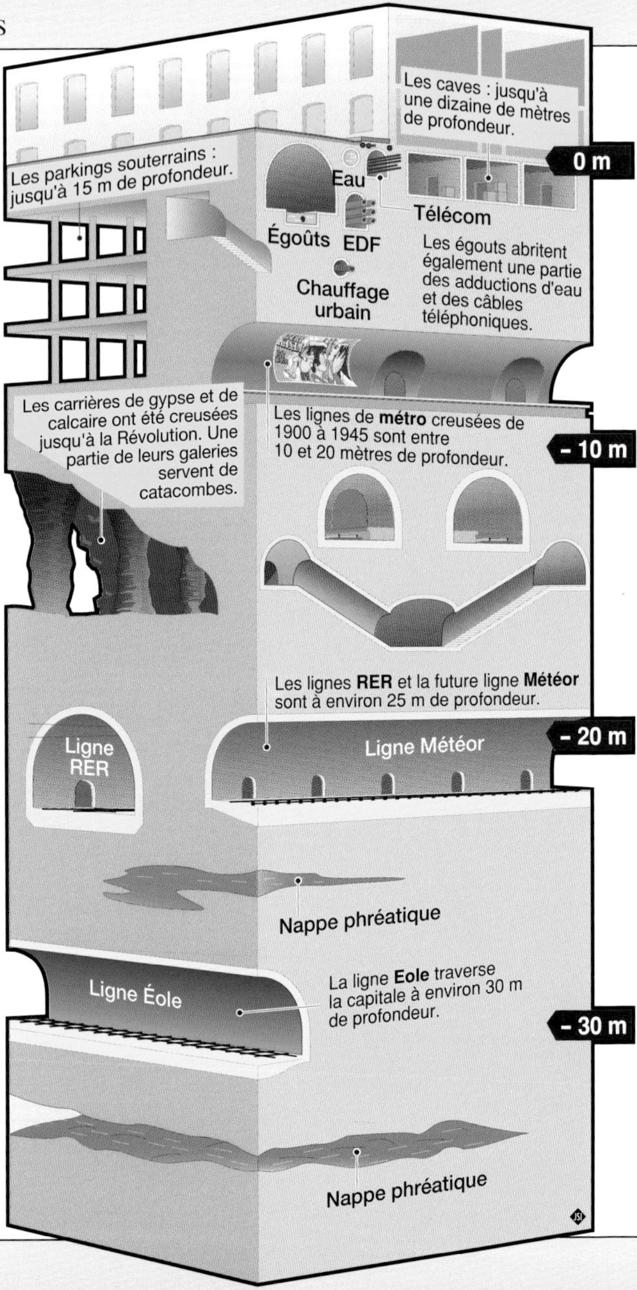

P

Les caves : jusqu'à une dizaine de mètres de profondeur.

0 m

Les parkings souterrains : jusqu'à 15 m de profondeur.

Eau

Télécom

Égoûts

EDF

Chauffage urbain

Les égouts abritent également une partie des adductions d'eau et des câbles téléphoniques.

Les carrières de gypse et de calcaire ont été creusées jusqu'à la Révolution. Une partie de leurs galeries servent de catacombes.

Les lignes de **métro** creusées de 1900 à 1945 sont entre 10 et 20 mètres de profondeur.

- 10 m

Les lignes **RER** et la future ligne **Météor** sont à environ 25 m de profondeur.

- 20 m

Ligne RER

Ligne Météor

Nappe phréatique

Ligne Éole

La ligne **Eole** traverse la capitale à environ 30 m de profondeur.

- 30 m

Nappe phréatique

Paris souterrain

En 1968, certains scandaient dans les rues de la capitale « Sous les pavés, la plage ». S'ils avaient su… sous les pavés parisiens, ce ne sont que souterrains, abris et bunkers, cryptes et sanctuaires, carrières et caves, circulation souterraine et égouts. En voici quelques aspects.

Les égouts

Chaque jour, 719 949 mètres cubes d'eau potable sont distribués à Paris, en transitant par un réseau de 1 800 kilomètres. 55 % de cette eau vient de 48 sources situées dans un rayon de 80 à 150 kilomètres autour de la capitale. Acheminée par 5 aqueducs d'une longueur de 600 kilomètres, cette eau est stockée dans 5 réservoirs d'une capacité de 1 200 000 mètres cubes, soit une journée et demie de consommation en eau de Paris. 850 contrôles de la qualité de l'eau sont effectués chaque jour. Le Parisien consomme chaque jour en moyenne 274 litres d'eau potable. D'autre part, 382 219 mètres cubes d'eau non potable sont également mis en distribution chaque jour. Ces eaux proviennent de la Seine et du canal de l'Ourcq et sont utilisées pour laver les rues et les égouts. Elles sont acheminées par un réseau de 1 600 kilomètres.

Une fois utilisés, les 1 300 000 mètres cubes d'eaux usées parisiennes se découvrent dans un réseau total de 2 200 kilomètres, dont 1 600 d'égouts. Elles transitent dans un des 43 déversoirs permettant de réguler l'eau des collecteurs. Elles rejoignent ensuite les eaux rejetées par l'ensemble de l'Ile-de-France. Ce sont ainsi quelque 3 millions de mètres cubes d'eaux usées qui sont traités par les 1 195 agents travaillant dans les 3 stations d'épuration et 6 usines de relèvement de l'agglomération parisienne.

Les catacombes

D'une superficie de 11 000 mètres carrés, les Catacombes de Paris reçoivent chaque jour plus de 410 visiteurs, surtout des touristes étrangers.

C'est au XVIIIe siècle – le contenu des cimetières parisiens, dont celui des Innocents, devant disparaître du cœur de la cité – que l'idée de cet ossuaire souterrain fait son apparition.

Les restes mortuaires de 17 cimetières, 145 communautés religieuses, monastères ou couvents, et quelque 160 lieux de culte possédant leurs cimetières seront transférés dans les catacombes. 5 à 6 millions de corps au total y seront déposés et, pour éviter de froisser les grandes familles de l'époque, certaines pierres tombales y seront transportées.

Volumes occupés dans le sous-sol de Paris
(en millions de mètres cubes)

Caves d'immeuble : 43 ; métro : 16 ; égouts, émissaires et collecteurs : 8 ; carrières : 6 ;SNCF : 3 ; parkings souterrains : 2,5 ; centres commerciaux : 1,5 ; voiries souterraines : 1,1 ; galeries techniques diverses : 0,6.

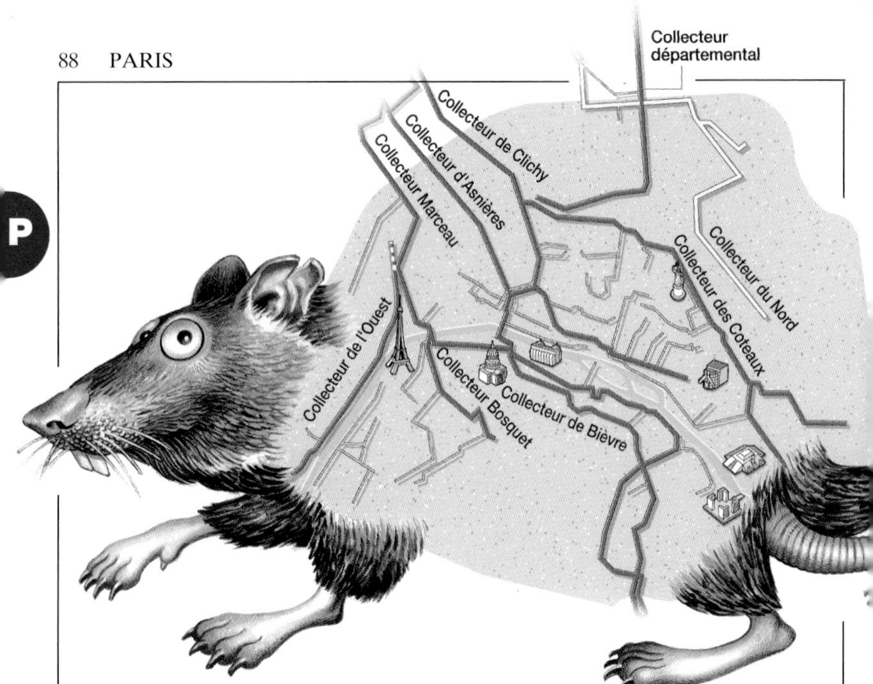

Les principaux collecteurs des égouts de Paris

Long de 1600 kilomètres, le réseau des égouts de Paris se répartit en 1430 kilomètres d'égouts élémentaires, 110 kilomètres de collecteurs secondaires, 40 kilomètres de collecteurs principaux et 20 kilomètres d'émissaires.

municipalité de Paris vont à l'action sociale, soit environ 16 millions de francs par jour.

Enfants

Chaque jour, près de 15 enfants sont admis à l'aide sociale à l'enfance de la Mairie de Paris et 18 mesures d'action éducative sont mises en place.

Personnes âgées

Les personnes âgées de la capitale peuvent bénéficier d'un certain nombre de prestations offertes par la Mairie. Ce sont ainsi 558 places de spectacle et, dans un tout autre registre, 1080 repas qui sont distribués tous les jours.

RMI

Chaque jour, l'État verse plus de 2,7 millions de francs aux 49726 bénéficiaires parisiens du RMI, soit 55 francs par personne.

Hébergement

2900 lits sont mis à la disposition des SDF chaque jour pendant l'hiver par le Centre d'action sociale, le Samu social, la SNCF, la RATP et l'Assistance publique.

Repas

3000 repas sont servis chaque jour, et environ 140000 tickets-service, d'une valeur de 25 à 30 francs chacun, sont offerts en hiver. Sans compter les repas offerts par les différents associations et organismes caritatifs.

Hygiène-Santé
20 visites quotidiennes en moyenne au centre René-Coty, qui dispose de services d'hygiène, de consultations de médecine, de soins infirmiers. 37 tickets bain-douche sont distribués chaque jour.

Les pompiers
Les sapeurs-pompiers effectuent 1031 interventions par jour, dont 560 pour des secours aux victimes, 105 pour des assistances aux personnes, 99 pour des missions de reconnaissance et recherche, 85 pour des accidents de la circulation, 82 pour des dégâts des eaux, gaz, électricité, air comprimé et fluides de toute nature, 51 pour des incendies, 16 pour la protection des biens et des pollutions diverses, 11 pour des secours aux animaux. La Brigade de sapeurs-pompiers de Paris – une unité militaire mise à la disposition du préfet de police – compte 7537 personnes: 263 officiers, 50 médecins et 7224 sous-officiers, caporaux et sapeurs.

Les manifestations
1048 manifestations à caractère revendicatif et 2494 manifestations officielles ou cérémonies ont eu lieu en 1996, soit 2,9 par jour pour les premières et 6,8 pour les autres. Dans le même temps, 1772 animations et festivités diverses, soit 5 par jour, ont eu lieu.

Paris, c'est aussi...
55 chantiers entrepris chaque jour sur la voie publique.
50 entreprises créées dans la capitale, et plus de 10 dépôts de bilan.
5959 personnes vont nager tous les jours dans une des 33 piscines municipales.

UN JOUR À L'ASSEMBLÉE NATIONALE

Petite ville au cœur de Paris, l'Assemblée nationale s'étale sur 54858 mètres carrés. Les journées à l'Assemblée ne se ressemblent pas. Le lundi, les 1262 fonctionnaires qui assurent la bonne marche du Palais-Bourbon sont tranquilles: les 577 députés ne sont, dans leur grande majorité, pas là. Le mardi et le mercredi sont des journées «ébullition». Entre les questions au gouvernement, 13 en moyenne par jour, les 105 questions écrites quotidiennes, les dépôts d'amendements, environ 80 par jour, les députés ne musardent pas. Le jeudi est principalement réservé aux travaux des 6 commissions permanentes, qui sont les antichambres au débat public. En moyenne, 3 commissions se réunissent par jour. Cela constitue, sur la dernière législature, 2132 heures et 734 auditions de personnalités ou de membres de gouvernement. Le vendredi, l'Assemblée retrouve calme et sérénité. Le Palais-Bourbon consomme, toutes charges comprises, 7,5 millions de francs par jour. Durant la 10e législature, qui a compté 484 jours de séance, 422 projets de loi (émanation du gouvernement) ont été déposés, soit presque un projet de loi chaque jour de séance, mais également 1 966 propositions de loi (émanation des députés), soit en moyenne 4 par jour. Quand vient l'heure du repas, les 4 salles de restaurant servent 1500 couverts quotidiens (menu à 87 francs). Le salon de coiffure reçoit de 5 (les jours creux) à 40 personnes (les journées de grande activité parlementaire).
Le téléphone est un outil privilégié. Chaque jour, 12000 appels parviennent à l'Assemblée, tandis que ce sont 14000 appels qui partent vers l'extérieur. Le courrier n'est pas en reste. Ce sont, en moyenne, 60000 lettres qui partent et 15000 lettres qui arrivent. En période électorale, le courrier connaît une inflation: 200000 lettres sont alors envoyées quotidiennement. Mais le Palais-Bourbon est aussi un lieu de visite. Chaque jour, 270 visiteurs se pressent pour faire connaissance avec cette impressionnante machine républicaine.

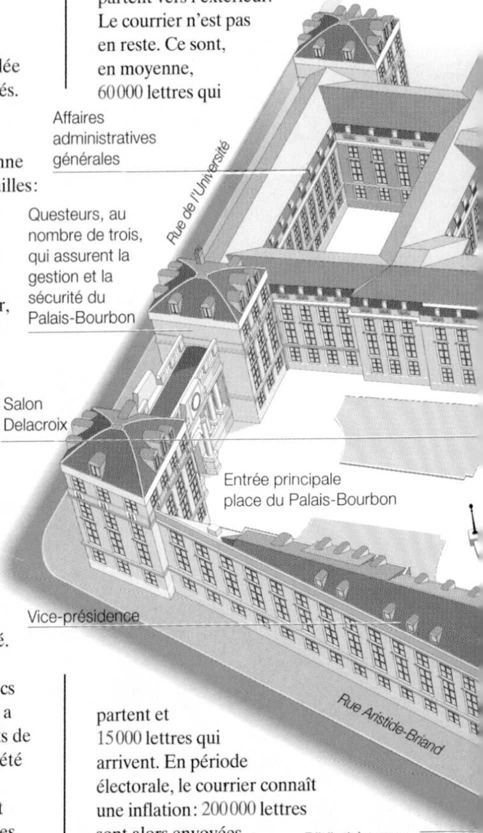

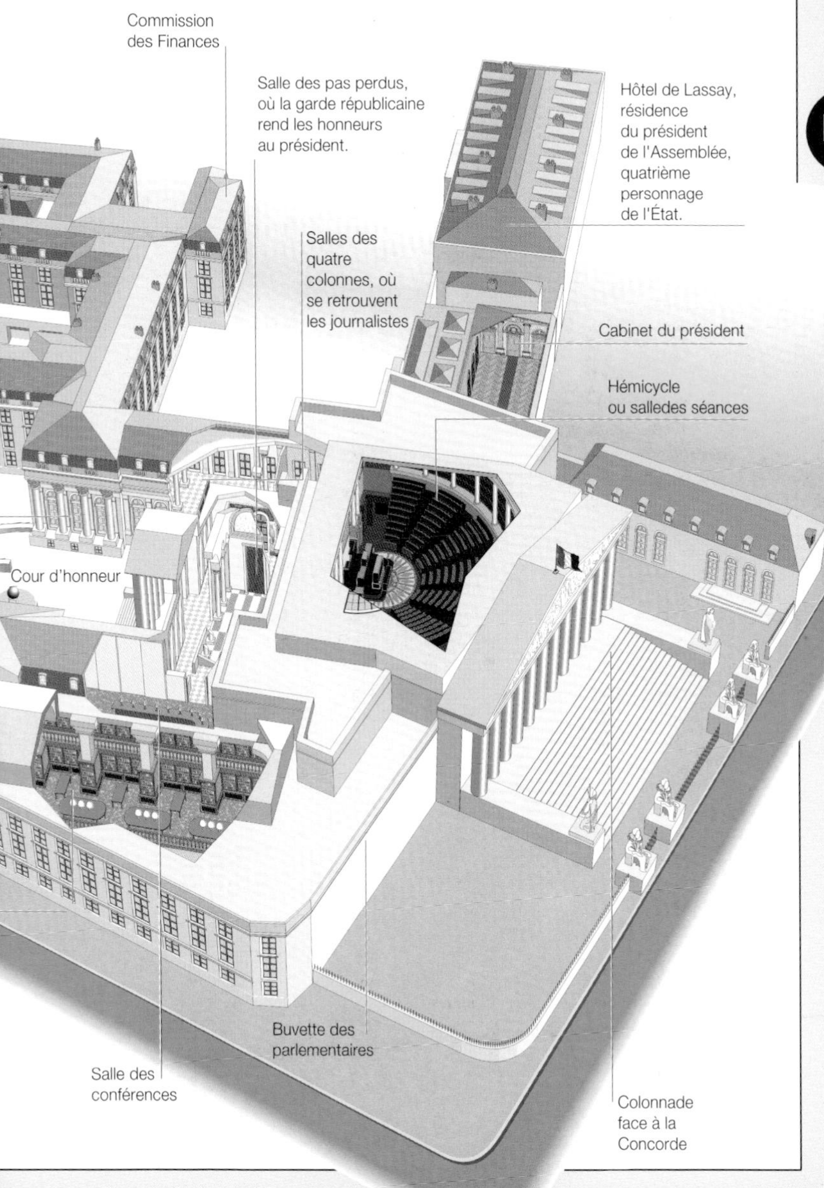
Commission
des Finances
Salle des pas perdus,
où la garde républicaine
rend les honneurs
au président.
Hôtel de Lassay,
résidence
du président
de l'Assemblée,
quatrième
personnage
de l'État.
Salles des
quatre
colonnes, où
se retrouvent
les journalistes
Cabinet du président
Hémicycle
ou salledes séances
Cour d'honneur
Buvette des
parlementaires
Salle des
conférences
Colonnade
face à la
Concorde
P

PECHES ET CULTURES MARITIMES

P

Elles sont très productives puisque 1 752 tonnes de poissons, algues, coquillages et autres crustacés sont pêchés chaque jour, pour une valeur de 15,7 millions de francs. Dans les différentes cultures marines françaises, 421 tonnes d'huîtres, 185 tonnes de moules, 11 tonnes de coquillages et 20 tonnes de produits d'aquaculture sont récoltées chaque jour, pour une valeur totale de 7 millions de francs.
Une autre production peu connue des métropolitains, celle des perles de culture brutes. Produites en Polynésie française, elles représentent 26,8 % du marché mondial, juste derrière l'Australie (27,2 % du marché), leader mondial. En 1995, la Polynésie a vendu 156 perles par jour pour un montant de 65 424 francs. C'est en Bretagne, avec 50,8 % de la production française, que l'on pêche le plus de poissons, crustacés et autres coquillages. Viennent ensuite le Nord-Pas-de-Calais avec 14,57 % de la production et les Pays de la Loire avec 10,18 %.

La pêche dans le monde

(production quotidienne, en tonnes, de poissons, de crustacés et de mollusques en 1996)

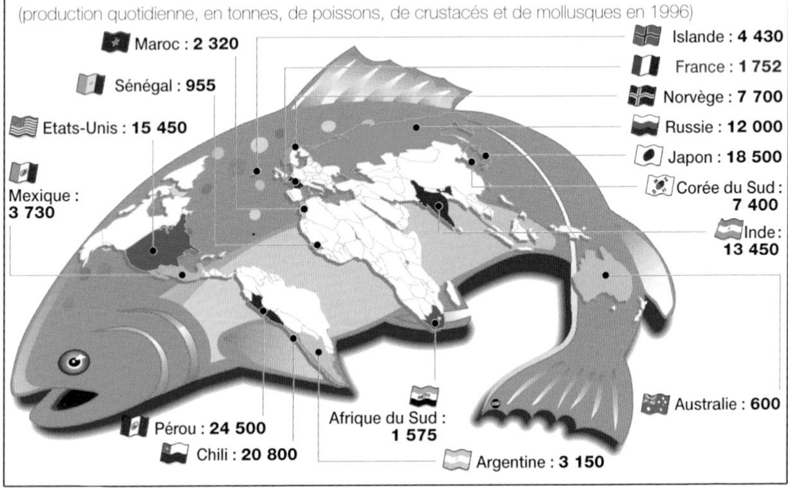

LA POSTE

Les 92 000 facteurs, pour desservir les 36 000 communes françaises, effectuent 74 000 tournées journalières. Ils parcourent ainsi 2 millions de kilomètres, soit 50 fois le tour de la Terre, distribuant 70 287 539 « courriers », dont 30 670 926 lettres et presque autant de catalogues et courriers publicitaires (29 712 460), 6 389 776 journaux et 958 466 colis.
200 wagons-poste, 32 avions aéropostaux (effectuant 63 heures de vol, avec dans leurs soutes 200 tonnes de courrier, entre 23 heures et 2 heures du matin), 56 000 camions et voitures sillonnent la France.
Mais La Poste, c'est aussi des bureaux : 3 millions de personnes y entrent chaque jour. Notamment pour y acheter des timbres. Plus de 11 millions sont fabriqués chaque jour, dont 1 180 821 pour la collection philatélique. Cette collection a un statut particulier, puisque les timbres ne sont laissés que 6 mois sur le marché.

Zoom sur Paris

Le trafic postal

Chaque jour 11 millions d'objets (colis, lettres, etc.) sont traités dans les 179 bureaux de poste parisiens, ce qui représente 1 objet sur 8 du trafic postal en France.
715 070 lettres sont envoyées de Paris vers Paris, 1 852 055 de Paris vers l'Ile-de-France ou la province ; 1 216 440 de la province vers Paris et 124 930 de Paris vers l'étranger.
200 000 usagers entrent quotidiennement dans les bureaux de poste parisiens.

Les invendus sont ensuite incinérés sous haute surveillance, ce qui confère de la valeur aux autres. La Poste édite aussi les timbres fiscaux, soit 506 849 par jour, ainsi que des timbres pour l'étranger (87 671). 4,38 tonnes de papier et 328 kilos d'encre sont nécessaires chaque jour pour la fabrication de l'ensemble des timbres.

P

LA RADIO

98,7 % des Français possèdent au moins un poste chez eux et plus de 80 % écoutent la radio chaque jour. Une consommation sans modération puisque nous y consacrons en moyenne 166 minutes par personne et par jour. Soit 2 heures et quarante six minutes. Normal : puisque 75 % la trouve chaleureuse, 79 % vantent son dynamisme et son utilité. La radio est en outre considérée comme crédible en matière d'information. La radio est donc une compagne quotidienne, qui nous réveille le matin, nous suit dans nos trajets en voiture, parfois dans les magasins et jusque sur nos lieux de travail. 6 postes par foyer, c'est la moyenne d'équipement radio en France. Sur 100 foyers, 78 ont un radio-réveil, 77 un autoradio et 28 un baladeur. C'est dans la cuisine que les Français écoutent le plus la radio et surtout dans les tranches matinales : plus de 12 millions de personnes allument leur poste entre 7h et 8h. Leur choix est vaste : plus de 1200 stations, 16 réseaux privés dont 9 musicaux, de grandes stations régionales, une foule de radios associatives, 6 radios d'autoroute ainsi qu'un service public fort et diversifié (59 radios, 5 chaînes nationales, 39 radios locales, 9 FIP, « Urgence » à Paris et à Lille, et 4 programmes diffusés par satellite).

En terme d'audience, RTL est, depuis 15 ans, le leader incontesté : 8136762 auditeurs écoutent chaque jour la station de la rue Bayard. Viennent ensuite France Inter (5330982 auditeurs), NRJ (5097167), France Info (5050404), Europe 1 (4395722) et les locales de Radio France (plus de 3 millions d'auditeurs).

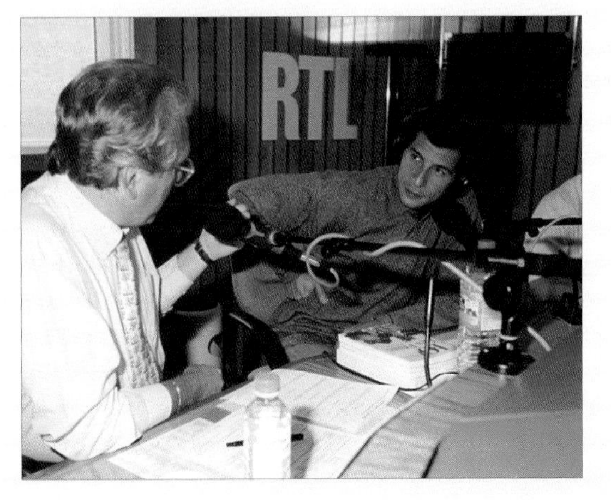

RTL

La station affiche pour 1996 un chiffre d'affaires quotidien de 2 millions 850000 francs, provenant exclusivement de la publicité. Cette publicité représente 96 minutes par jour. L'info, elle, remplit 8 heures d'antenne. Radio de l'interactivité, RTL reçoit 30000 appels téléphoniques par jour. 160 titres de chansons sont diffusés quotidiennement.

RADIO FRANCE

Le budget total de Radio France, pour l'année 1997, est de 7,4 millions de francs par jour, dont 6,8 millions provenant de la redevance et de subventions publiques, 322000 francs de publicité ou parrainage et 258000 francs de ressources commerciales ou immobilières.

Chaque jour de 1997, Radio France a versé à l'ensemble des sociétés d'auteurs (Sacem, Sacd, Scam…) la somme de 278000 francs. Radio France est le 3e site Internet le plus consulté de France.

- France Inter

Son budget de programme représentait en 1997, 250000 francs par jour, dont 46500 francs pour l'information. 5 heures et quinze minutes sont consacrées chaque jour aux journaux et aux flashs, 40 minutes aux magazines d'information et 39 minutes au sport.

Une moyenne de 90 titres musicaux sont diffusés quotidiennement sur France Inter.

L'auditeur de France Inter l'écoute 135 minutes chaque jour.

- France Info

Avec 33000 francs de budget programme quotidien, France Info propose :

- 48 journaux par jour, dont 41 journaux de 7 minutes (de 5h à 1h du matin) et 7 journaux de 5 minutes (de 1h30 à 4h30 du matin)
- À 15, 23, 45 et 53 de chaque heure, un rappel des titres de 2 minutes (de 5h15 à 0h53)
- Une quarantaine de chroniques différentes par jour

L'auditeur de France Info l'écoute 73 minutes chaque jour.

- Les radios locales

Au nombre de 38, elles émettent 24 heures sur 24 et couvrent 50 % de la population française.

Budget de programme : 384000 francs par jour.

L'auditeur des locales y consacre 131 minutes par jour.

NRJ

En 1994, NRJ annonçait un chiffre d'affaires de 814000 francs quotidiens.

325 disques sont diffusés chaque jour sur cette chaîne thématique musicale, mais aussi 45 minutes d'infos.

La publicité représente une durée de 150 minutes.

5500 appels téléphoniques sont enregistrés quotidiennement.

R

RELIGION

Tous les dimanches, environ 10 millions de catholiques pratiquants réguliers vont à la messe. 10 autres millions y vont occasionnellement, c'est-à-dire pour les grandes fêtes. Chaque jour, si ces cérémonies n'avaient le plus souvent lieu le dimanche, 1163 baptêmes se feraient dans les églises catholiques.
41 de ces baptêmes sont administrés à des personnes de plus de 7 ans.
De même ne compterait-on pas moins de 405 mariages quotidiens à l'église, dont 372 entre deux catholiques.
L'essentiel de l'observance de la religion musulmane est la prière (5 par jour) et on estime entre 400000 et 500000 le nombre de fidèles qui la font quotidiennement, même s'ils n'en font souvent que 2 au lieu des 5 prévues, auquel cas la prière du soir dure environ 20 minutes. Entre 20 heures et 22 heures, on peut dire qu'environ un demi-million de fidèles se tournent vers La Mecque.
802 bar-mitsva (communion dans la religion juive) ont lieu chaque année, soit 2,5 par jour, une moyenne purement statistique dans la mesure où aucune célébration ne peut avoir lieu lors de nombreuses périodes.
961 mariages juifs sont célébrés chaque année, soit environ 3 par jour, en y mettant les mêmes restrictions que pour les bar-mitsva.

Les principales religions françaises
On compte environ 46 millions de Français baptisés (45 millions de catholiques, 800000 protestants et 200000 orthodoxes).
L'islam est la deuxième grande religion, avec 4 millions de musulmans. Viennent ensuite le judaïsme, avec 650000 juifs, et les religions orientales, avec 600000 bouddhistes (dont 150000 Français). 19,5 % des Français se déclarent sans religion.

ASTROLOGIE
Chaque jour, plus de 27 000 Français consultent un des 10 000 astrologues officiant en profession libérale. Coût de la consultation : entre 150 et 1 500 F selon la notoriété de l'astrologue.

REVENUS

Les salariés du privé
Le salaire moyen brut des 12 millions de salariés à temps complet du secteur privé et semi-public s'est élevé en 1995 à 427 francs par jour. Ce qui correspond à un salaire net de cotisations sociales de 346 francs.
Il convient évidemment de moduler ce salaire moyen en fonction du statut (les cadres gagnent 2,7 fois plus que les ouvriers), du sexe (21 % d'écart au détriment des femmes), du secteur d'activité (on gagne 20 % de plus dans les transports que dans le bâtiment), de la région (le salaire moyen des habitants des Hauts-de-Seine est de 54 % supérieur à celui de la province). Et enfin de la profession (la rémunération quotidienne nette, primes comprises, d'un directeur dans la distribution est

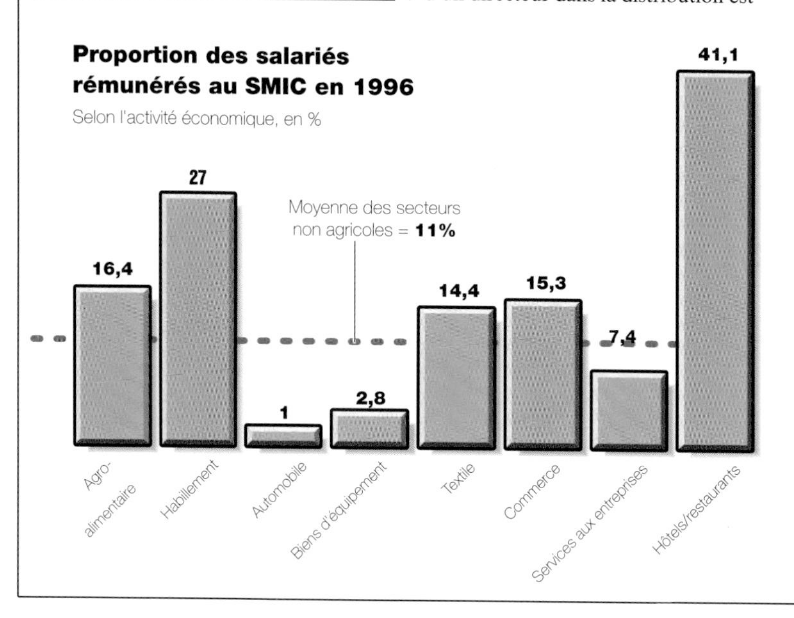

de 1 700 francs, celle d'un agent d'assurances de 810 francs, d'un ingénieur de travaux de 725 francs, d'un guichetier de banque de 360 francs et d'un ouvrier dans la mécanique de 290 francs).

Les fonctionnaires

Malgré les idées reçues, le public rapporte plus que le privé. Les 1,8 million d'agents civils de l'État travaillant en métropole ont perçu, en 1995, un salaire brut moyen quotidien de 452 francs (primes comprises). Soit une rémunération nette de 388 francs. Avec là aussi de grands écarts : 790 francs pour un professeur d'université, mais 540 francs pour un attaché ou un inspecteur, 450 francs pour un prof certifié, 340 francs pour un instituteur et 210 francs pour un agent des services publics.

Les petits artisans et commerçants

Voici quelques exemples des sommes dégagées par l'exploitation d'un commerce, d'un atelier ou d'un chantier. Des chiffres minorés par la fraude fiscale

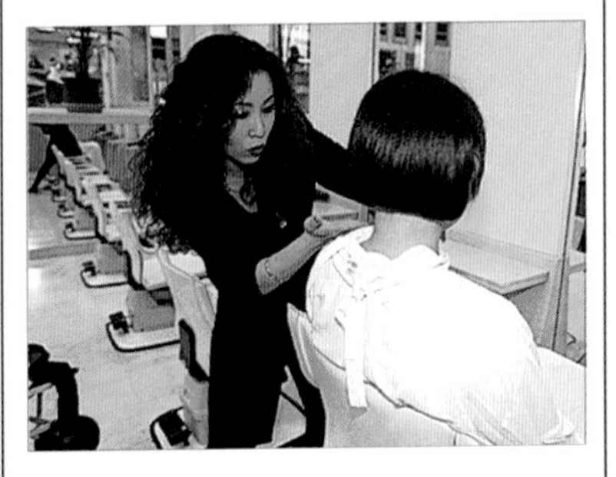

(les cafés-hôtels-restaurants camoufleraient 26 % de leur chiffre d'affaires, les commerces de détail, 18 %, et la réparation automobile, 10 %), mais qui donnent malgré tout une idée précise de ce que gagnent (avant impôt) les commerçants et artisans. Et qui pourront surprendre.

- Pharmacien : 1 500 francs.
- Cafetier : 740 francs.
- Boulanger-pâtissier : 650 francs.
- Mécanicien automobile : 530 francs.
- Libraire-papetier-marchand de journaux : 520 francs.
- Plombier : 500 francs.
- Restaurateur : 460 francs.
- Peintre : 440 francs.
- Coiffeur : 340 francs.
- Épicier : 330 francs.
- Taxi : 280 francs.

Les smicards

Environ 2 millions de personnes, soit 8 % des salariés, perçoivent le SMIC, qui s'élève depuis juillet 1997 à 175 francs net par jour.

Les chômeurs

Près de 8 chômeurs sur 10 perçoivent des indemnités inférieures à 167 francs par jour.

Les RMIstes

Le nombre de ménages RMIstes s'est accru de 120 chaque jour entre juin 1995 et juin 1996, passant ainsi à 910 000. En comptant les conjoints et les enfants à charge, ce sont près de 2 millions de personnes qui sont concernées. Le montant de l'allocation est de 80 francs par jour pour une personne seule, 120 francs pour un couple et 145 francs pour un couple avec un enfant.

Les patrons

Traitement, mais aussi stock-options, avantages en nature, intéressement… Difficile de s'y retrouver, d'autant que notre monde patronal prise fort peu la transparence. Malgré tout, voici ce que touchent environ :

- Lindsay Owen Jones (président de L'Oréal) : 46 500 francs (par jour, évidemment).
- Guy Dejouany (ex-PDG de la Compagnie générale des eaux) : 41 000 francs, hors stock-options et revenus du capital.

- Serge Tchuruk (président d'Alcatel-Alsthom): 27400 francs, hors stock-options.
- Claude Bébéar (PDG d'Axa): 23300 francs en salaires et intéressement, dont 11500 francs en salaire fixe.
- Marc Vienot (ex-PDG de la Société générale): 21900 francs, hors stock-options.
- André Levy-Lang (président du directoire de Paribas): 20500 francs.
– Nicholas Clive Worms (PDG de la Worms): 13700 francs, hors stock-options.
- Jérôme Monod (Président du Conseil de surveillance de Lyonnaise-Dumez): 11500 francs. Autres revenus: 6500 francs.
- Philippe Jaffré (président d'Elf): 10900 francs.
- Jean-René Fourtou (PDG de Rhône-Poulenc): 10900 francs, hors stock-options et rémunérations annexes.
- Louis Schweitzer (président de Renault): 5500 francs.
- Jean Peyrelevade (président du Crédit lyonnais): 4900 francs.
- Christian Blanc (quand il était PDG du groupe Air France): 3800 francs.
- Jean Gandois (ex-président du CNPF, patron de Cockerill-Ougrée): 3500 francs.

Les sportifs

Avant son coup de dents vengeur, le boxeur Mike Tyson était, selon le magazine américain *Forbes*, le sportif le mieux payé au monde: 1,1 million de francs par jour (ses trois combats de 1996 lui avaient rapporté 75 millions de dollars).
Beaucoup plus sage, le basketteur Michael Jordan émarge, lui, à 826000 francs par jour, dont près des

4/5 sont assurés par ses contrats publicitaires (40 millions de dollars en 1996, pour 12,6 millions de salaires).
Troisième du classement, et premier Européen (il y en a seulement trois parmi les quarante sportifs les mieux payés au monde), Michael Schumacher affiche 524000 francs par jour.
Record de précocité: à seulement 21 ans, le golfeur noir Tiger Woods empoche déjà quotidiennement 136000 francs de contrats publicitaires.
Aucune femme ne figure parmi les quarante sportifs les plus riches. Steffi Graf et Monica Seles, les deux mieux payées, atteignent 111000 francs chacune.
Le Français le mieux payé, le pilote de Formule 1 Jean Alesi, n'arrive «qu'à» 95000 francs. Et il devance très largement ses petits camarades: Laurent Jalabert (24000 francs), Marcel Desailly (21000)…
Le footballeur le mieux payé au monde, le Brésilien Ronaldo, gagne, lui, environ 300000 francs par jour pour son seul salaire (hors contrats publicitaires).
Et la somme est nette d'impôts, qui sont payés par son club…
En comparaison, le salaire moyen en première division de football en France n'est que de 3800 francs par jour. Ce qui fait tout de même 114000 francs par mois.

S

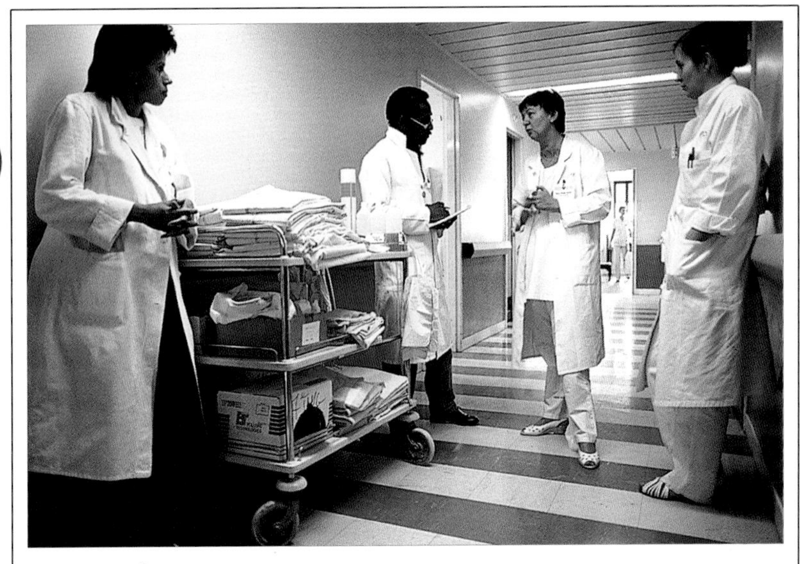

SANTÉ

En 1996, chaque Français a dépensé pour sa santé 32 francs par jour. Une dépense de plus en plus importante dans notre budget, puisqu'elle représente 10,4 % de nos revenus, contre 8,7 % en 1970. La prévention représente moins de 1 franc (0,86 franc).

Consultations
Il y a chaque jour 1271000 consultations et visites. Les Français vont chez leur médecin 8 fois par an en moyenne (chiffre qui a plus que doublé depuis 1970), dont 4,5 fois chez le généraliste. Deux tiers des séances ont lieu au cabinet du médecin, une sur cinq à domicile, une sur dix à l'hôpital. Les médecins, qui effectuent quotidiennement une moyenne de 7 consultations, consacrent à leurs patients 14 minutes, contre 9 en Allemagne et 8 au Royaume-Uni.

Hospitalisations
Un jour donné, on estime à 470000 le nombre d'hospitalisés (dont 59000 pour alcoolisme). Les hôpitaux sont de moins en moins des lieux d'hébergement (durée moyenne : 6,7 jours dans le secteur public et 5,8 dans le privé), mais des lieux d'interventions chirurgicales : 22000 opérations par jour. Les plus fréquentes concernent l'ablation des amygdales et de l'appendice. Mais on intervient aussi 274 fois pour une hernie, 246 fois pour la pose d'une prothèse de hanche, 8 fois pour une greffe d'organe (un chiffre en diminution en raison de la baisse des tués sur la route).

Greffes
Sur les 2856 greffes effectuées en 1995, on a compté 408 greffes du cœur (soit plus de 1 par jour), 646 greffes de foie (soit près de 2 par jour) et 1644 greffes de rein (soit 4,5 par jour). Encore faut-il ajouter de « petites » greffes : plus de 7 cornées par jour.

Urgences
Plus de 23500 personnes sont accueillies chaque jour dans un service d'urgence, le tiers devant être hospitalisé.
Le Samu traite chaque jour 8000 affaires; les 16 centres antipoison nationaux reçoivent près de 550 appels (chiffre 1991); les hélicoptères effectuent 57 missions d'intervention médicale; les sapeurs-pompiers réalisent 3000 sorties sanitaires et SOS Médecins – uniquement à Paris – reçoit 1650 appels, dont 900 donnent lieu à la visite d'un médecin.

Psychiatrie
On dénombre plus de 1500 entrées quotidiennes en hospitalisation complète dans les établissements psychiatriques (chiffre 1993).

Contagion
Les infections contractées dans les hôpitaux (entre 1650 et 3000 par jour) sont responsables du décès de 27 personnes et placent la France parmi les pays industrialisés les plus touchés par ce problème.

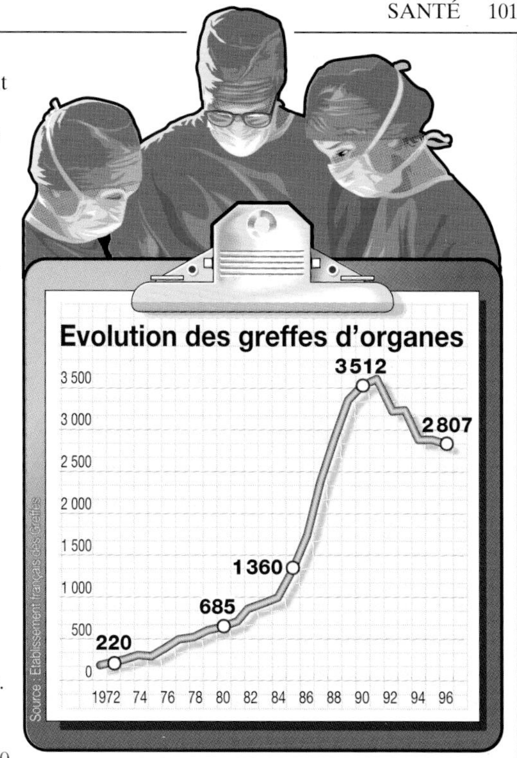

ERREUR MÉDICALE
Les associations de défense des usagers estiment à 27 par jour le nombre de personnes victimes d'une erreur médicale.
Les organisations de médecins n'en avouent que 5.

Maladies
Il est difficile, sinon impossible, de savoir de quoi souffrent les Français. À l'exception toutefois de certaines maladies – mais qui sont loin d'être les plus répandues – qu'un décret de juin 1986 oblige à déclarer. Ainsi peut-on recenser 25 nouveaux cas de tuberculose par jour, dont près de la moitié en Ile-de-France (et plus de 2 décès), 12 cas de sida (et 8 morts par jour en 1996), 1 infection alimentaire collective et 1 cas de méningite. Notons encore qu'il y a plus de 173 dilatations des coronaires par jour. Pour le reste, la Sécurité sociale n'enregistre que des consultations, des visites, des ordonnances. Un même médicament peut soigner différentes maladies. Nul n'est obligé d'aller chez le médecin.

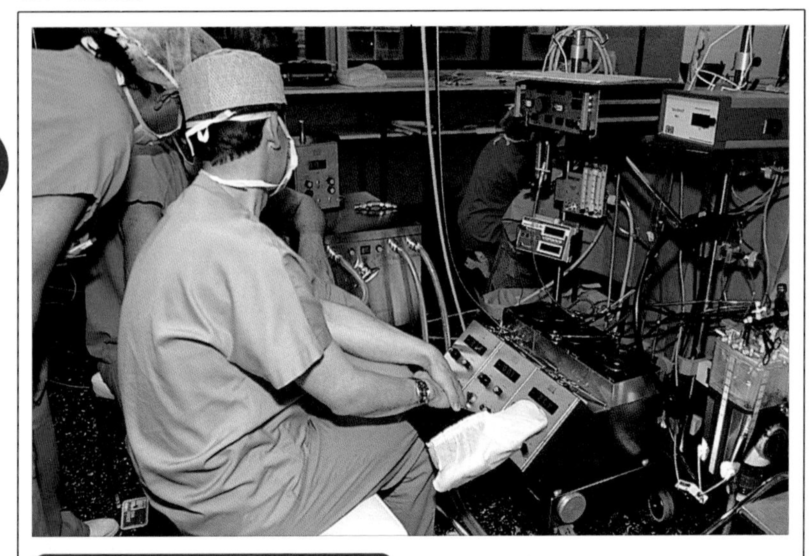

Zoom sur Paris

Les hôpitaux

Près de 12 055 personnes viennent chaque jour consulter les médecins des hôpitaux de l'Assistance publique de Paris.
2 520 malades y sont hospitalisés pour une durée moyenne de 8,2 jours.
1 367 interventions chirurgicales, 384 séances de dialyse, 234 séances de chimiothérapie, plus de 130 accouchements et 55 IVG sont pratiqués dans les hôpitaux des secteurs public et privé.
Le Samu de Paris reçoit plus de 160 appels quotidiens. 52 nécessitent l'intervention de véhicules de réanimation, 49 d'ambulances et 35 l'intervention d'un praticien.
98 millions de francs : c'est le montant quotidien des prestations d'assurance maladie versé par la Sécurité sociale aux Parisiens. 2,5 millions de francs sont versés au titre des indemnités journalières, 74,5 millions sont des versements aux hôpitaux.

Ce dernier est tenu par le secret médical. Il faut donc se contenter des sondages. Ainsi, si on les interroge un jour donné, les Français déclarent, en moyenne, être porteurs de 3 affections (une fréquence qui augmente avec l'âge et est plus élevée chez les femmes).
Les problèmes dentaires et les troubles de la vue sont, quel que soit l'âge, les affections les plus fréquentes. Viennent ensuite les troubles endocriniens ou du métabolisme, les maladies cardio-vasculaires, les affections ostéo-articulaires, les maladies ORL et les troubles digestifs.
À un niveau plus fin, il faut citer l'obésité (20 % des enquêtés majeurs), les pathologies veineuses (10 % de l'ensemble des enquêtés), ainsi que les migraines et les céphalées (10 % également), et l'hypertension artérielle (9 %).

Lunettes

Chaque jour, 20 550 montures optiques et 49 315 verres sont achetés. De quoi

équiper les 27 millions de Français qui portent des lunettes de correction, dont 66 % les utilisent régulièrement et 34 % occasionnellement.
Dans le même temps, 550 personnes abandonnent le port de lunettes au profit de celui de lentilles. 1,7 million de Français, dont 73 % de femmes, portent des lentilles. 35 615 unités de lentilles, dont 32 875 jetables, sont achetées chaque jour.
Plus de 2,1 millions de francs sont dépensés chaque jour pour l'achat de paires de lunettes solaires.

Les cas de sida dans le monde
(du début de la pandémie jusqu'en 1996)

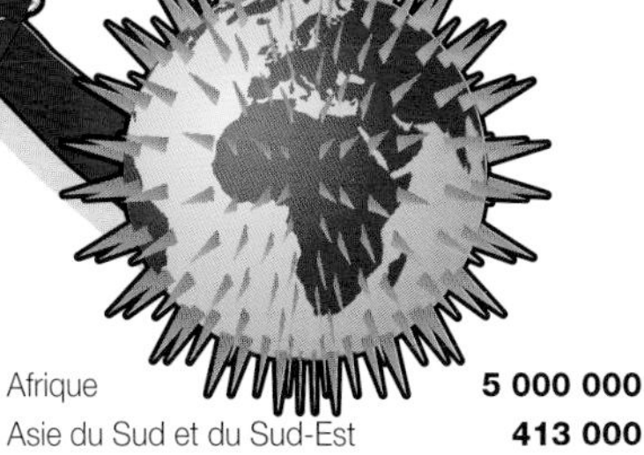

Afrique	**5 000 000**
Asie du Sud et du Sud-Est	**413 000**
Asie orientale + Pacifique + Océanie	**15 000**
Amérique du Nord	**553 000**
Amérique latine + Caraïbes	**454 000**
Europe	**239 000**

Mais l'OMS estime que le chiffre de 8,5 millions de cas de sida déclarés est plus proche de la vérité.

France en 1996 :

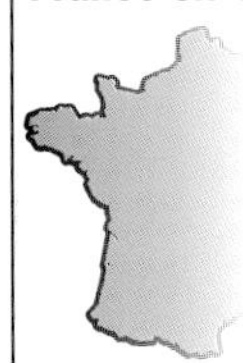

2 885 morts
4 318 nouveaux cas de sida
44 579 personnes recensées depuis les origines, mais on estime le nombre de cas entre **50 500** et **55 500.**

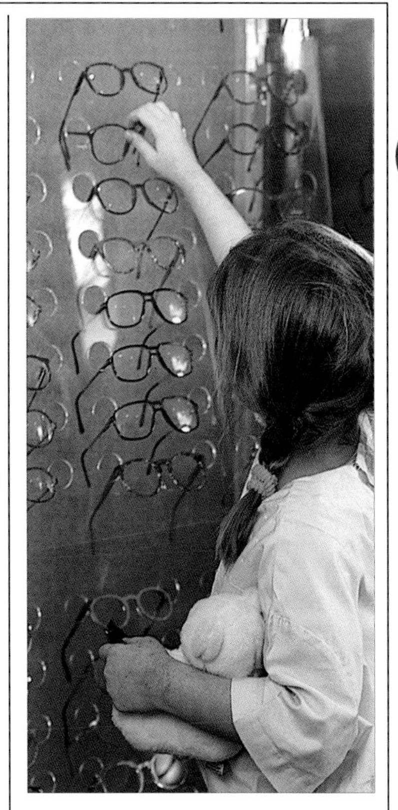

Sécurité sociale
Chaque jour qui passe, samedi et dimanche compris, ce sont près de 5 milliards de francs que versent les différentes branches de la Sécurité sociale.
Ainsi, en 1995, la Sécurité sociale a versé 1 115 millions de francs par jour au titre de la maladie (hors hospitalisation), 2 030 millions de francs au titre de la vieillesse (pensions, allocations de vieillesse, préretraites, allocations de veuvage et capitaux décès), 446 millions pour la maternité

et la famille, et 270 millions pour les allocations de chômage et les indemnités de formation. Soit 3861 millions de francs de prestations sociales.
1850410 décomptes au titre de la CNAMTS, d'un montant moyen de 748 francs, ont été remboursés quotidiennement. Chaque jour, 2875399 feuilles de soin sont traitées et 443835 arrêts maladie sont adressés aux caisses.
Si l'on ajoute aux prestations sociales le salaire des 178946 employés, soit 134 millions de francs par jour, le transfert aux hôpitaux (632 millions de francs) et quelques autres postes, la Sécurité sociale dépense quotidiennement 4892490000 francs.
Côté ressources, les cotisations versées chaque jour à la Sécurité sociale par les salariés, les entreprises et les non-actifs représentent 3990958904,00 francs, soit 84,4 % des recettes de cet organisme.
Avec les ressources liées aux impôts, les recettes fiscales et les transferts entre administrations publiques, la Sécurité sociale a un budget quotidien de 4724040000 francs.
Le calcul est simple : la Sécurité sociale a perdu, chaque jour de 1995, 168450000 francs. Et l'on estime, sur l'ensemble des flux financiers quotidiens de la Sécu, que la fraude et le gaspillage s'élèvent à... 328767123 francs par jour !

CERVEAU
Chaque jour, il prend en moyenne 5 000 décisions, de la plus inconsciente à la plus importante : décrocher son téléphone ou acheter une voiture.

Un jour à l'hôpital Cochin

Le groupe hospitalier Cochin, à Paris, est tout à la fois un établissement de proximité assurant les urgences et un hôpital spécialisé, universitaire, impliqué dans l'enseignement et la recherche. Avec près de 1100 lits, sa taille et son activité quotidienne sont comparables à celles de la plupart des grands CHU de province. Budget quotidien de cette « entreprise » : 4800000 francs.

Le nombre moyen de malades hospitalisés par jour s'élève à 760.
1500 personnes en moyenne viennent quotidiennement pour une consultation.
Sur les 929 médecins de Cochin (dont 152 internes, 69 professeurs et 483 attachés), 327 à plein temps sont présents chaque jour. De même que sont à leur poste, un jour donné, 2125 personnes, infirmières, sages-femmes, psychologues pour l'essentiel, mais aussi personnels administratifs, médico-techniques (laborantins, manipulateurs...), ouvriers...
Effectif global : 3908 personnes.
Un jour parmi d'autres à Cochin :
10 naissances, 3 décès, 82 anesthésies.
43 poches de globules rouges sont injectées chaque jour.
Activité quotidienne du service de radiologie : environ 40 scanners, 30 IRM (imagerie par résonance magnétique), 60 échographies et 340 radiographies.
Chaque service adresse en moyenne 96 ordonnances par jour à la pharmacie de l'hôpital, qui distribue, en échange, 532 médicaments.
36 préparations pour chimiothérapie sont réalisées tous les jours.
Pour effectuer tous les soins, l'hôpital Cochin a besoin quotidiennement de : 3630 seringues (coût : 2770 francs), 2370 paires de gants (5200 francs), 14670 compresses (3310 francs), 2480 tubes de prélèvement sanguin (1830 francs), 860 tubulures à perfusion (3290 francs), 270 cathéters courts (2430 francs), près de 23 kilos de

produits désinfectants servant à nettoyer les instruments médicaux non jetables.
Chaque jour sont utilisés 1 500 draps, 1 000 alaises, 19 310 essuie-mains, 780 vêtements de travail, 480 tenues de bloc opératoire, 360 draps et alaises à usage unique (coût : 11 150 francs), 42 casaques opératoires jetables (1 110 francs).
Au total, 2,77 tonnes de linge sont blanchies (soit 37 020 francs).
3 570 repas sont servis par jour, soit 5 000 petits pains, 2 500 yaourts variés, 1 250 portions de fromage, 600 kilos de fruits et légumes, 300 kilos de viande, 900 kilos de produits surgelés.
« Production » journalière de 3,2 tonnes de déchets ménagers, 2,1 tonnes de déchets hospitaliers spécifiques, 250 kilos de cartons vides, 3 050 sacs pour déchets.
Cochin consomme 38 120 kWh par jour d'électricité et 720 mètres cubes d'eau.
Pour alimenter la machine, 220 véhicules de livraison entrent tous les jours dans l'hôpital.
6 830 lettres et colis sont expédiés chaque jour par la poste, l'hôpital en reçoit 4 320.
3 560 appels téléphoniques sont reçus (par le standard ou sur les lignes directes) par l'hôpital, lequel a lui-même une facture téléphonique quotidienne de 12 600 francs.

SCOLARITÉ

Les effectifs

12762000 élèves et 1592000 étudiants en université sont chaque jour accueillis et pris en charge par 1523000 personnes (chefs d'établissement, conseillers d'éducation ou d'orientation, personnel d'entretien, etc.), dont 928000 enseignants, dans 75900 établissements publics ou privés et 84 universités.

Le coût

Pour gérer cette grosse machine, qui emploie pas moins de 6 % de la population active, la collectivité nationale a dépensé, en 1995, 1,5 milliard de francs chaque jour, soit en moyenne 26 francs par habitant.

Les 6712000 élèves du premier degré coûtent chacun, par jour, 62 francs au système éducatif, alors que la dépense moyenne pour les 4939000 élèves du second degré s'établit à 117,50 francs.

Chaque année, ce sont quelque 591000 élèves du secondaire qui bénéficient d'une bourse.

Pour le seul enseignement supérieur, la collectivité nationale dépense chaque jour plus de 250 millions de francs, ce qui fait 124 francs en moyenne par étudiant.

Une scolarité effectuée sans redoublement sur une durée de dix-huit ans, menant à une licence, est estimée à 87 francs par jour pendant ces dix-huit années, et une scolarité en dix-sept ans menant à un BTS, à 95 francs.

En comparaison, le coût d'une scolarité en vingt ans menant à un diplôme d'ingénieur universitaire s'élève à 115,50 francs.

L'État est le principal bailleur du système éducatif avec 65,4 % du total du budget, et les ménages y participent à hauteur de 6,9 %, le reste étant pris en charge par les collectivités territoriales,

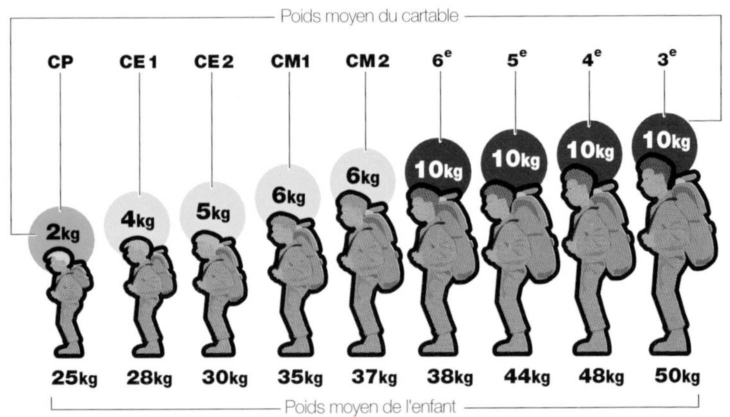

S

Une journée au lycée Marcel-Pagnol de Marseille

Implanté dans le quartier Saint-Loup depuis le début des années 60, le lycée-collège Pagnol/Les Bartavelles reçoit chaque jour 1958 élèves, dont un tiers en collège. Les autres se répartissent entre le lycée et les classes de BTS (200 étudiants environ). Pour assurer le fonctionnement de la soixantaine de classes que compte l'établissement, 27 membres du personnel de service, 12 CES (contrats emploi-solidarité), 14 administratifs (de la secrétaire au chef d'établissement) et 6 surveillants prennent leur poste chaque matin. Les 125 enseignants assurent en moyenne 402 heures de cours, pendant lesquels ils font passer 50 contrôles, à la suite desquels ils corrigent 3500 copies. Chaque jour, ce sont 6000 polycopiés ou photocopies qui sont nécessaires.
Au cours d'une journée parmi d'autres au lycée-collège Pagnol/Les Bartavelles, 35 élèves arrivent en retard, 82 sont absents (dont 42 pour maladie, 12 pour d'autres motifs et 28 sans justification), 25 vont à l'infirmerie, 124 au CDI (centre de documentation et d'information), 5 se voient infliger une heure de colle et 8 un avertissement.
A l'heure du déjeuner, 617 repas sont servis aux 548 élèves présents (sur les 579 inscrits à la demi-pension) et aux 69 « commensaux », dont 48 profs, 15 agents et 6 surveillants.
Le repas coûte – en denrées – 9,50 francs. Les élèves paient 14,30 francs et les professeurs, 20 francs.
Le coût d'une journée de fonctionnement au lycée-collège Pagnol/Les Bartavelles est – hors salaires – de 32000 francs, dont 3600 francs de fonctionnement pédagogique, 6600 francs d'aide aux élèves (bourses, fonds social collégien et lycéen…), 3600 francs pour les bénéficiaires des contrats emploi-solidarité, 8800 francs de frais de restauration (dont 6200 francs d'achat de denrées en partie couverts par les versements des participants) et 9400 francs de fonctionnement général.

Zoom sur Paris

L'école

Plus de 700000 élèves et étudiants prennent chaque jour le chemin des écoles et des universités parisiennes. Une moyenne quotidienne de 101130 repas sont servis dans les écoles maternelles, élémentaires et dans certains collèges par près de 2600 agents travaillant pour les 20 caisses des écoles de Paris.
Les restaurants universitaires, quant à eux, servent 25000 repas en moyenne tous les jours.

les entreprises et les caisses d'allocations familiales.
Les frais de cantine reviennent environ à 10 francs par jour, et ce sont environ 3786000 repas qui sont servis. Les frais de transport s'élèvent à 4 francs.
Il faut savoir également que le coût moyen de la rentrée scolaire pour les familles s'établit à 996 francs pour un enfant en sixième, mais que ce budget peut atteindre 5468 francs pour un élève en classe de seconde technologique.
Une dépense qui varie donc considérablement et peut représenter entre 38 % et 157 % du budget de septembre pour une famille.

Le record du monde du 100 mètr

Leroy Burrell
Carl Lewis
Calvin Smith
Jim Hines
9"95 1968
9"93 1983
9"92 1988
9"90 1991

S

SPORT

Pour l'équipement, chaque Français dépense en moyenne 530 francs par an pour les articles de sport et de loisirs, soit la somme, modique, de 1,45 franc par jour.
38398 chaussures de sport (prix moyen: 380 francs) sont vendues chaque jour, dont 10696 chaussures de jogging, 8753 chaussures de tennis et 1930 chaussures de randonnée. Et encore 2192 raquettes de tennis et 10959 tubes de balles, 2466 ballons de football et 1233 de basket, 1096 paires de rollers.

Les équipements de sport d'hiver ou d'été se vendent, bien entendu, très majoritairement en saison. Mais, étalés sur toute l'année, les chiffres de ventes donnent 1288 paires de chaussures de ski vendues chaque jour, 1178 paires de ski alpin et 137 snowboards, sans oublier les 23773 vêtements de sport d'hiver (9918 rien que pour les enfants).
Concernant les équipements de sport d'été, 104 planches à voile et surfs, 986 ensembles palmes/masque/tuba sont achetés chaque jour.
Autres accessoires indispensables, 1930 sacs à dos et 820 sacs de couchage sont acquis par les sportifs.
Pour les pratiques sportives, il y a environ 12,6 millions de licences sportives recensées par les fédérations. Une même personne peut être licenciée dans plusieurs disciplines, ou encore ne pas être licenciée et pratiquer un ou plusieurs sports.
On compte ainsi, chaque jour, 244 nouveaux licenciés de pétanque, 177 de football, 34 de basket, 31 de golf, 14 de randonnée pédestre et 10 d'athlétisme.

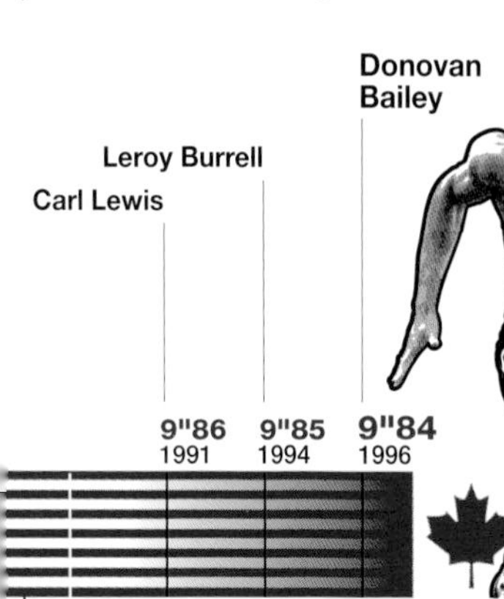

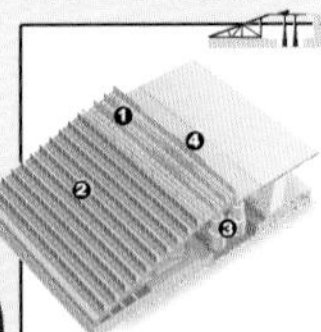

Les tribunes mobiles
En configuration athlétisme, le stade fait sa mue. Les tribunes basses (25 000 places) coulissent de 15 mètres en arrière pour laisser apparaître la piste et les sautoirs.
Une prouesse technique qui nécessite le démontage de gradins escamotables (1), installés en surplomb de la tribune mobile (2). Un système de chariot élévateur (3) procède à l'enlèvement de la dalle de béton (4 et 6), descendue dans la fosse (5), permettant ainsi le recul de la tribune (7) qui coulisse sur coussins d'air pour ne pas endommager la piste d'une épaisseur de 12 millimètres. L'installation définitive de la piste est prévue après la Coupe du monde de football.

Trois restaurants dont un panoramique de 160 places. Et 4 000 mètres carrés de commerces ouverts en permanence.

Entrée

148 loges privées de 12 à 28 places louées à l'année (hors Coupe du monde 98). Prix moyen de ces luxueux salons : environ 1 million de francs par an, qui donnent accès à la quarantaine de manifestations prévues chaque année.

Billetterie

Le toit est la grande originalité de ce chantier. Il couvre les gradins et la piste d'athlétisme, pas le terrain. Une prouesse technique : malgré sa superficie (6 hectares) et son poids (13 000 tonnes, soit 1,5 fois la tour Eiffel), il donne l'impression de flotter au-dessus du stade. Testé en soufflerie, il doit pouvoir résister à des vents d'au moins 145 km/h.

Espace commercial

UN JOUR AU STADE DE FRANCE

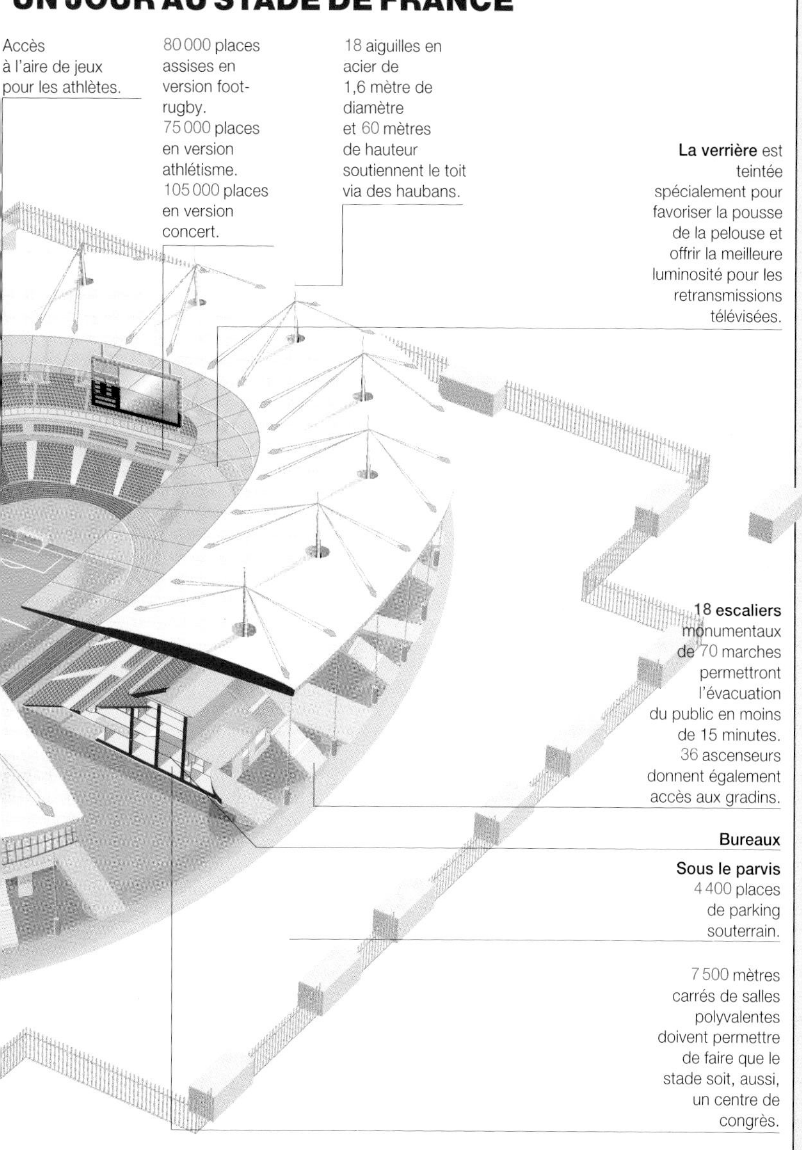

T

TÉLÉPHONE

80 millions d'appels téléphoniques partent chaque jour des 33 millions de lignes principales installées en France. La dépense quotidienne des Français pour leurs communications s'élève à 6,16 francs et le temps passé au téléphone à 8 minutes par abonné, et cela pour 2 appels donnés ou reçus. France Telecom installe chaque jour 1369 nouvelles lignes. 6,5 millions de Français possèdent un Minitel et passent en moyenne 2 minutes par jour devant leur clavier. L'annuaire électronique est consulté 2343333 fois par jour et l'annuaire papier 5353333 fois, dont 62 % pour les pages blanches. La téléphonie portable connaît elle aussi un essor important puisque chaque jour ce sont 3561 téléphones Itinéris, 1336 téléphones SFR et 479 téléphones Bouygues qui sont vendus. La radiomessagerie aussi se développe beaucoup. Tatoo, leader du marché, a vendu 1186 récepteurs par jour, Tam-Tam 584 et Kobby 326. Plus de 3000 répondeurs téléphoniques ont été vendus en 1996. Une progression de 25 % par rapport à l'année précédente.

TÉLÉVISION

Audimat

La télévision est allumée 5h10 par jour et par foyer. Si les Français passent en moyenne 2h44 devant leur petit écran, les plus de 15 ans y consacrent 3h13, les inactifs 3h49, les femmes 23 minutes de plus que les hommes (6 minutes seulement pour les actives) et les enfants (11-14 ans), contrairement aux idées reçues, ne la regardent que 2h5. Les champions de l'Audimat à travers le monde sont les États-Unis (3h59), la Turquie (3h36) et l'Italie (3h36). Les plus faibles consommateurs sont les pays scandinaves et les Pays-Bas (de 2h20 à 2h41).

ANTENNES
960 antennes satellite ont été vendues en France chaque jour de 1996. Le parc actuel est estimé à 1 500 000 antennes.

Pour quels programmes
Si l'on excepte le temps passé devant Canal Plus et les chaînes municipales, voilà comment se décomposent les 164 minutes passées en moyenne par les Français devant leur téléviseur : 13 minutes de film, 44 minutes de

T

Un jour à TF1

Boulogne. Quai du Point-du-Jour. De la tour de verre qui domine le périphérique et qui abrite la première chaîne privée de télévision française, 1 400 salariés et 250 visiteurs entrent et sortent chaque jour.
TF1, c'est une grille de programmes et des images. Mais c'est avant tout une énorme entreprise qui consomme 48 000 kWh d'électricité, d'où partent chaque jour de la semaine 14 000 appels téléphoniques et 2 800 lettres, tandis qu'arrivent – pour le seul service « Téléspectateurs » – 420 appels.
Chaque jour, 1 700 commandes de Téléshopping sont passées à la chaîne.
Quant au site TF1 sur Internet, il fait un malheur : 1 200 000 pages prélevées sur le serveur en 24 heures un jour du mois de mai.
Mais TF1, c'est bien sûr et avant tout, pour le téléspectateur, un écran sur lequel défilent quotidiennement 344 spots de publicité d'une durée totale de 2 h 2, plusieurs journaux télévisés qui, mis bout à bout, feraient 85 minutes (et pour lesquels sont « consommées » 93 cassettes), 6 ou 7 bulletins météo et des fictions (séries, téléfilms, feuilletons, etc.), qui font à elles seules le tiers de la grille, soit 8 heures.
Sur le budget-grille, qui atteignait 12,6 millions par jour en 1996, les magazines et documentaires, en moyenne quotidienne, représentaient 0,5 million de francs, les divertissements 2,3 millions de francs et les fictions 2,4 millions de francs.

Evolution de l'audience télé de 1976 à aujourd'hui

en durée moyenne d'écoute, exprimée en minutes, par individu de 15 ans et plus

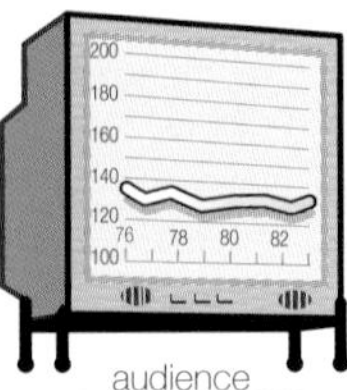

audience de 1976 à 1983

audience de 1983 à 1990

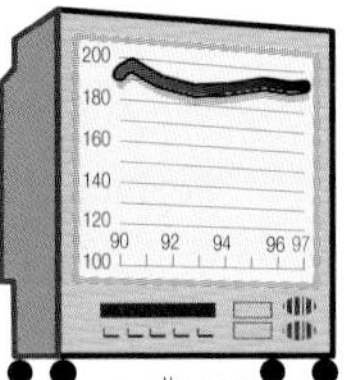

audience de 1990 à 1997

fiction, 15 minutes de jeux, 9 minutes de variétés, 23 minutes de journal télévisé, 23 minutes de magazine documentaire, 10 minutes de sport, 5 minutes d'émissions pour la jeunesse, 15 minutes de pub, 7 minutes d'autres programmes (théâtre, émissions religieuses, etc.).

VIOLENCE
Un dimanche ordinaire, la télé propose, toutes chaînes confondues, à travers ses films et ses fictions, 126 meurtres, 142 fusillades et 153 bagarres.

T

Le budget des chaînes
Les budgets des chaînes de télévision varient selon qu'elles sont thématiques ou généralistes, privées ou publiques.

TF1
TF1 dépense chaque jour 12,6 millions de francs pour sa grille de programmes (voir détails dans l'encadré).

France Télévision
France 2 consacre 9,7 millions de francs à son budget de programmes (6,7 millions pour les fictions, documentaires et autres divertissements, 1,8 million pour l'information et 1,2 million pour les sports). Sa consœur du service public, France 3, dépense environ 10,4 millions de francs, dont 5,6 millions pour les programmes nationaux et 4,8 millions pour les régionaux.

Canal Plus
Le coût des programmes constitue les charges les plus conséquentes pour Canal Plus et s'établit autour de 9 millions de francs chaque jour (4 millions pour les films, 2,7 pour les sports et 2,3 pour le reste). Une émission comme « Nulle Part Ailleurs » coûte 600000 francs.

La Cinquième - Arte
Une journée de programmation sur La Cinquième-Arte revient à 4,2 millions de francs. Le coût de la soirée, qui débute à 19 heures, est de 2,9 millions de francs; il est financé à 50 % par le partenaire allemand de la chaîne. A titre d'exemple, une soirée thématique de 3 à 4 heures coûte environ 1,3 million de francs.

Le câble
Autre comparaison, une petite chaîne comme Paris Première a un budget de programme de 150684 francs par jour, ce qui ne l'empêche pas d'être la deuxième chaîne câblée la plus regardée entre 20 heures et minuit, juste après RTL9.

Recettes publicitaires
Toutes chaînes confondues, le montant des recettes publicitaires est de 47671232 francs par jour.

Redevance
La redevance rapporte chaque jour 30136986 francs. Elle est collectée auprès de 16 millions de ménages. C'est France 3 qui bénéficie le plus de cette taxe, puisqu'elle lui rapporte chaque jour plus de 9 millions de francs, soit 71 % de ces recettes. 52 % des recettes de France 2 sont constituées par la redevance, soit 7534248 francs par jour. Le reste de cette somme se répartit entre Radio France : 6931506 francs par jour, et RFO, Arte, La Cinquième, l'Ina et RFI : 6027397 francs par jour.

T

THÉATRE-OPÉRA

Les théâtres parisiens
Chaque jour 2645 personnes se rendent dans l'un des 5 théâtres nationaux, et 7776 dans un des 46 théâtres privés parisiens. Elles vont assister à l'une des 6 représentations données dans les théâtres nationaux ou une des 38 données dans les théâtres privés de la capitale.
C'est la Comédie-Française qui a donné le plus grand nombre de représentations (presque 2 par jour), et cela pour 27 spectacles différents durant la saison 1995/1996.
Le Théâtre national de l'Odéon a donné 1 représentation chaque jour à Paris, et cela pour 12 spectacles différents. Il a aussi présenté 136 représentations lors de ses tournées. L'ensemble des théâtres nationaux a donné dans l'année 328 représentations en tournée.

L'opéra
Le palais Garnier a reçu 1732 spectateurs à chacune des 79 représentations données lors de la saison 1995/1996, alors que l'Opéra de la Bastille, pour la même période, a reçu 2167 spectateurs à chacune de ses 210 représentations.

T

Un jour à l'Opéra national de Paris

La « maison », comme la surnomment familièrement les artistes, est dotée de deux salles : le palais Garnier (inauguré en 1875, d'une superficie de 75 000 mètres carrés, 1 971 places) et l'Opéra de la Bastille (inauguré en 1989, d'une superficie de 150 000 mètres carrés, 2 703 places). Chaque jour, 1 812 personnes travaillent dans les deux établissements. Les artistes : 155 musiciens, 148 danseurs (qui usent en une saison 6 000 chaussons à pointe, en moyenne 16 par jour, et 3 000 demi-pointes, soit 2 par jour), 98 choristes ; 464 permanents attachés au domaine artistique : costumiers, habilleurs, maquilleurs et coiffeurs. 494 techniciens (machinistes, éclairagistes, pompiers…) et 453 cadres et administratifs.
Une journée à Garnier et Bastille se déroule ainsi : 7 professeurs (anciennes étoiles) donnent « la classe » (le cours de danse de 1 h 30) à l'ensemble des danseurs. Dès 13 heures, dans les 5 studios de Bastille, les 4 studios et 3 petites salles de Garnier commencent les répétitions des opéras ou des ballets. Elles sont réparties en plusieurs services (de 2 heures avec une demi-heure de battement). Une représentation est donnée à 19 h 30 dans chaque salle, deux lorsque le ballet joue en matinée et en soirée.
Sous la direction de la danseuse étoile Claude Bessy, l'école de danse de l'Opéra, située à Nanterre (conçue par Christian de Portzamparc) forme 130 élèves, répartis en 6 classes de filles, 6 classes de garçons. Chaque élève prend 2 cours de danse de 1 h 30 par jour et reçoit 4 h d'enseignement général.
La bibliothèque-musée de l'Opéra (au palais Garnier), réaménagée par Richard Peduzzi, est l'une des plus belles de France. Elle reçoit une quinzaine de chercheurs et lecteurs quotidiennement. Ils peuvent consulter 200 000 ouvrages (partitions, maquettes de décor et costumes, photographies du XIXe siècle à nos jours).
Chaque jour, l'Opéra national de Paris reçoit 1 517 000 francs de subventions de l'État, perçoit 584 000 francs en recettes de billetterie (spectacles et tournées) et 259 000 francs en ressources hors billetterie (mécénat, audiovisuel, actions commerciales). Son chiffre d'affaires quotidien s'élève à 2 360 400 francs et le nombre total de places offertes à la vente pour la saison est de 805 111.
Les programmes réalisés par les dramaturges (lyrique et ballet) de l'Opéra (des bibles que bien des théâtres tentent de copier) sont vendus à chaque spectacle : soit une moyenne de 600 pour le lyrique et de 400 pour le ballet.
Chaque bâtiment se visite (visites libres ou guidées) et reçoit en moyenne chaque jour 1 000 personnes pour Garnier, ouvert toute l'année, et une trentaine pour Bastille, fermé en août.

En province

En province, les opéras sont moins fréquentés que dans la capitale. 681 452 spectateurs ont assisté aux 879 représentations (opéras, opérettes, ballets, concerts) données dans les théâtres lyriques de France, soit 775 spectateurs par représentation.

Recettes et subventions

881 644 francs. C'est le montant des subventions que se partagent chaque jour les 5 théâtres nationaux.
343 562 francs sont nécessaires pour faire tourner la Comédie-Française, 167 397 francs pour le Théâtre national de Chaillot, 141 918 francs pour le

Théâtre national de l'Odéon, 125753 francs pour le Théâtre national de Strasbourg et 103013 francs pour celui de la Colline. Dans le même temps, les théâtres privés parisiens reçoivent 202466 francs de subventions, et font presque 1,4 million de francs de recette.

TOXICOMANIE

Chaque jour, plus de 274 personnes meurent des conséquences d'un abus d'alcool ou de tabac. Et on compte 1 à 2 overdoses de drogue.

Alcool

Notre consommation moyenne d'alcool pur est la plus élevée du monde. Elle a pourtant considérablement baissé, passant de 18 litres en 1960 (soit 5 centilitres par jour) à 11 litres en 1995 (3 centilitres par jour). Rapportée à la population des 15 ans et plus, cela fait encore une consommation de 5 centilitres par jour.

On estime que 16 % des hommes et 40 % des femmes ne boivent jamais d'alcool, que 53 % des hommes et 54 % des femmes en consomment moins de 2 verres par jour et que 31 % des hommes et 6 % des femmes en boivent deux verres ou plus. Les habitudes varient selon l'âge, le sexe et la profession exercée. Les plus âgés sont les plus nombreux à boire régulièrement (87 % des hommes de plus de 75 ans consomment au moins une boisson alcoolisée par jour). Mais c'est entre 45 et 54 ans que les hommes consomment les plus grosses quantités d'alcool. Les métiers où l'on boit le plus sont ceux de l'agriculture, de l'artisanat et du commerce, là où les traditions sont le plus solidement installées.

L'abus d'alcool entraînerait chaque jour la mort d'environ 165 personnes, dont les 3/4 sont des hommes. L'alcool au volant est responsable quotidiennement de 12 morts et 356 blessés.

L'absentéisme pour cause d'alcoolisme représente entre 10000 et 13500 journées de travail perdues chaque jour. Le coût global quotidien de l'alcoolisme économique et social est estimé entre 280 et 550 millions de francs.

L'enjeu économique – ceci explique-t-il cela ? – est lui aussi considérable. La production quotidienne française de vin est de 160000 hectolitres (production mondiale : 700000 hectolitres).

500000 personnes environ vivent de la production et de la vente de ce produit. Vin et champagne représentent 15 % de nos exportations (le deuxième poste). Le chiffre d'affaire des vins et spiritueux – à l'exclusion du cidre et de la bière – a atteint en 1996 238 millions de francs quotidiens. Enfin, l'État lui-même encaisse chaque jour pour plus de

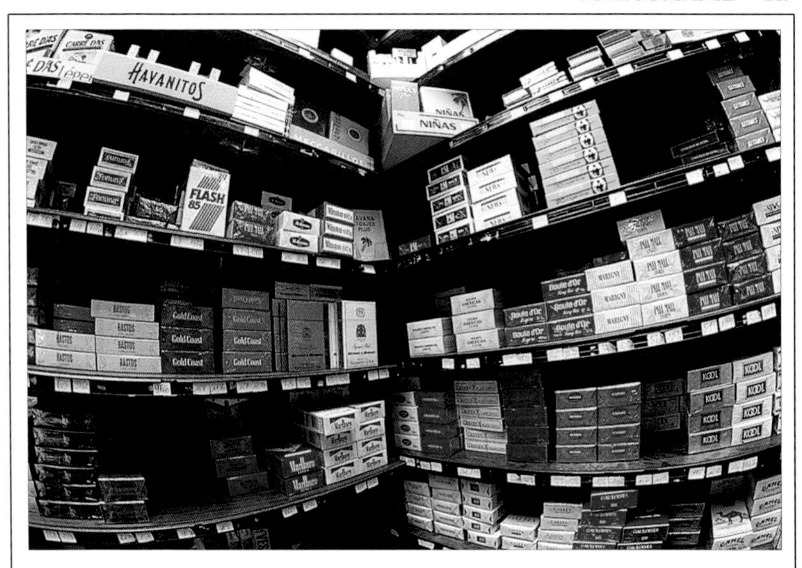

33 millions en taxes et autres droits sur l'alcool.

Tabac

Chaque jour, 235 890 410 cigarettes sont vendues, soit 4 par jour et par personne si tous les Français fumaient. En fait, 14 cigarettes par jour et par fumeur. Les fumeurs représentent 35 % de la population. Le chiffre d'affaires du tabac est de 203 216 438 francs, sur lesquels l'État prélève 73,35 %, soit 149 068 493 francs par jour.

Les cigarettes filtre représentent 86,7 % du marché, les cigarettes blondes 74,2 % et les brunes 25,8 %. De plus, 84 191 780 cigarettes légères sont vendues chaque jour, soit 35 % du marché. Malgré cela, la marque la plus vendue reste la Gauloise brune, qui détient à elle seule presque 20 % du marché.

Le marché du cigare, évidemment plus restreint, représente tout de même chaque jour 4 194 520 unités vendues.

Le principal fabricant-distributeur de cigarettes et de cigares en France est la Seita, puisqu'elle détient 40,76 % du marché des cigarettes et 39,55 % des cigares, suivie de loin par Philip Morris avec 30 % (pour les cigarettes) et Henry Witermans pour les cigares : 13,05 %.

La vente des cigarettes, malgré un chiffre d'affaires florissant, est en baisse de 11,3 % depuis 1991, notamment à cause de la hausse des prix : + 96 % depuis cette date !

Le tabac reste malgré tout responsable de 20 % des décès par cancers et par maladies de l'appareil respiratoire, soit près de 9 % de l'ensemble des décès.

Drogue

La toxicomanie continue de s'accroître en France, comme dans tous les pays développés. Environ 250 000 Français peuvent être considérés comme des utilisateurs réguliers ou occasionnels de drogue. 85 % ont moins de 30 ans, dont un tiers entre 25 et 29 ans.

Les 3/4 des toxicomanes sont des hommes.
En 1996, 218 infractions à la législation sur les stupéfiants ont été constatées chaque jour par les services de police ou de gendarmerie, dont 16 affaires de trafic (ou de revente sans usage), 33 interpellations d'usagers-revendeurs, 150 interpellations d'usagers. Les pharmacies vendent en moyenne 5 600 Stéribox par jour.

TRAINS

Les trains transportent chaque jour 700 000 voyageurs et 354 246 tonnes de marchandises sur un réseau de 32 275 kilomètres.
Les trois grandes gares parisiennes voient chaque jour défiler 26 027 voyageurs à Austerlitz, 60 273 à Montparnasse et 71 232 à la gare de Lyon.
La SNCF dispose de 13 301 wagons et locomotives, dont 310 TGV. Ces trains parcourent 782 000 kilomètres par jour (grandes lignes et trains express régionaux confondus), c'est-à-dire plus de 2 fois la distance de la Terre à la Lune. Leur utilisation nécessite une forte consommation quotidienne d'énergie : 17 764 383 kWh d'électricité, soit 2 fois la consommation quotidienne d'une ville comme Marseille, et 1 693 mètres cubes de diesel.
Le chiffre d'affaires de la SNCF est de 155 890 410 francs par jour et le coût de la fraude de 2 739 276 francs.

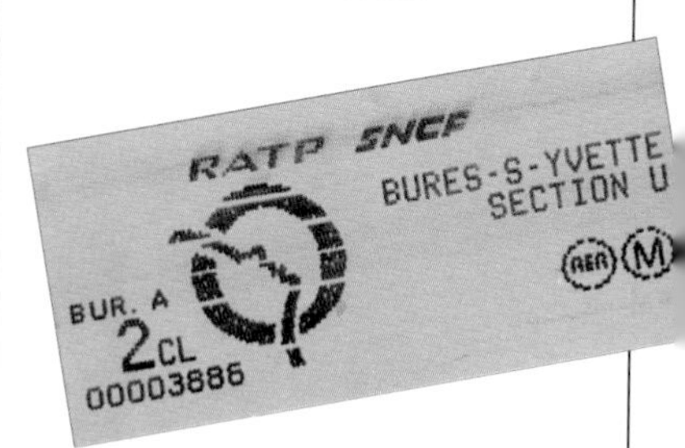

Un jour à la Part-Dieu

Avec 75 000 personnes qui y passent chaque jour, la gare de la Part-Dieu, à Lyon, est la plus fréquentée de France. Une vingtaine de milliers de voyageurs « montent » à Paris, autant empruntent le TGV pour une autre destination, et encore autant utilisent un train régional. Le reste vient simplement faire une réservation ou accueillir quelqu'un. Les billets sont pris auprès des 23 automates implantés dans le hall ou des 158 agents commerciaux qui se relaient derrière les guichets. Recette d'un jour : 1 million de francs. Pour acheminer cette foule en transit, 370 trains de voyageurs (contre 130 de marchandises) s'arrêtent quotidiennement à l'un des 5 quais de la Part-Dieu. Les voyageurs fréquentent aussi les 8 commerces répartis sur les 7 000 mètres carrés de la gare. Ils achètent un journal (3 000 quotidiens et 5 000 magazines vendus chaque jour), boivent un café (1 878 percolés par jour), commandent un Coca-Cola (101 litres par jour) ou se nourrissent d'un sandwich (1 187 par jour). Et abandonnent derrière eux un tas d'ordures, environ 1 400 kilos. 200 de ces voyageurs repartent chaque jour à bord d'une voiture de location.

V

VACANCES-TOURISME

Le budget vacances est d'environ 15000 francs par ménage, montant comprenant l'hébergement (environ 37,1 % du budget total), la restauration (36,9 %) et les transports. Soit une dépense globale de 249,8 milliards de francs par an, qu'il n'y aurait pas grand sens à ramener à la journée tant les vacances restent massivement des phénomènes saisonniers.
Disons tout de même qu'en 1996 61,5 millions de touristes étrangers sont arrivés en France, soit 168493 chaque jour. 59 % d'entre eux sont européens, 20 % américains, et 15 % viennent d'Asie de l'Est et du Pacifique.

Zoom sur Paris

Les visiteurs étrangers

Les 57535 touristes qui arrivent tous les jours à Paris (32875 étrangers et 24660 Français) y séjournent en moyenne 3 jours.
Il existe également un autre type de tourisme : le tourisme d'affaires. Paris est la première ville accueillant des réunions internationales avec près de 1 réunion chaque jour (358 par an).
Plus de 16 congrès, séminaires et autres voyages de stimulation se tiennent chaque jour dans la capitale et accueillent 17590 participants.
Plus de 2 salons ou expositions débutent chaque jour, et reçoivent près de 20000 visiteurs, dont 1410 viennent de l'étranger.

CHAMPS-ÉLYSÉES
Chaque jour, 400 000 personnes, touristes ou Parisiens, déambulent sur la plus célèbre avenue du monde.

Le touriste étranger moyen dépense environ 1800 francs lors de son séjour en France, et le Japonais 8000 francs, soit près de quatre fois plus. Les recettes touristiques sont de 356,7 milliards de francs (plus de 997 millions par jour), recettes auxquelles contribue largement l'ensemble des touristes étrangers en dépensant 106,9 milliards de francs pendant leurs séjours.
L'excédent de la balance touristique s'élève à 54,6 milliards de francs en 1996 (150 millions par jour), ce qui représente trois fois les soldes de l'automobile, de l'aéronautique ou de l'industrie spatiale, et ce qui permet à ce secteur prospère la création de 82 emplois chaque jour.

VOITURES

Les véhicules
8304 voitures sont produites chaque jour en France, dont 5074 pour l'export.
Sur les 16601 nouvelles immatriculations, 3142 concernent des voitures françaises neuves, 2090 des voitures neuves étrangères et 11311 des voitures d'occasion.

Les conducteurs
Chaque jour, 2565 nouveaux conducteurs se lancent sur les routes, forts de l'obtention de leur feuillet rose, dont 50 % de femmes.

Le budget
Le budget automobile journalier, hors achat et frais financiers, est de 66,73 francs. La part la plus importante de ces dépenses est consacrée au stationnement (parkings, box, parcmètres) des véhicules (19,33 francs) et aux frais de carburant (18,30 francs). Le reste du budget se répartit entre l'entretien (16,04 francs), l'assurance (9,07 francs), le péage (2,58 francs) et la vignette (1,41 franc).
Les voitures rapportent chaque jour à l'État 865753424 francs en taxes, dont 392704110 francs pour la seule taxe sur le carburant. Les possesseurs d'automobiles parcourent quotidiennement 39 kilomètres et le prix de revient d'une voiture au kilomètre s'élève à 2,81 francs.
Les contraventions (57781 procès-verbaux établis chaque jour) rapportent quotidiennement 4288017 francs aux communes.

Location
17 425 voitures sont louées chaque jour par des Français dont 14 220 dans l'Hexagone et 3 205 à l'étranger.

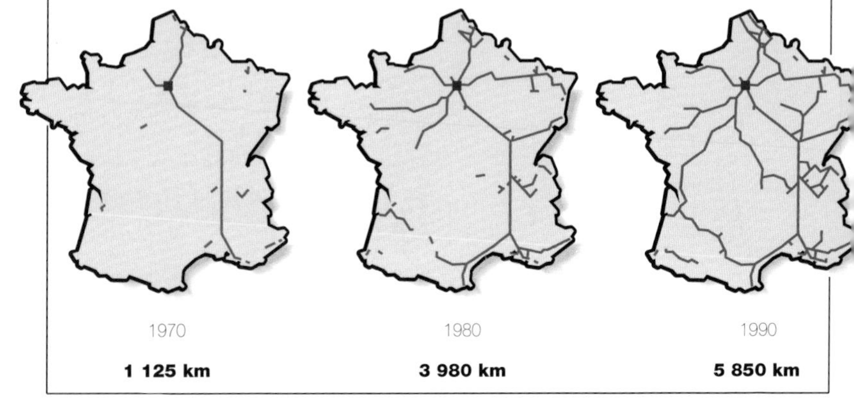
1970
1 125 km
1980
3 980 km
1990
5 850 km

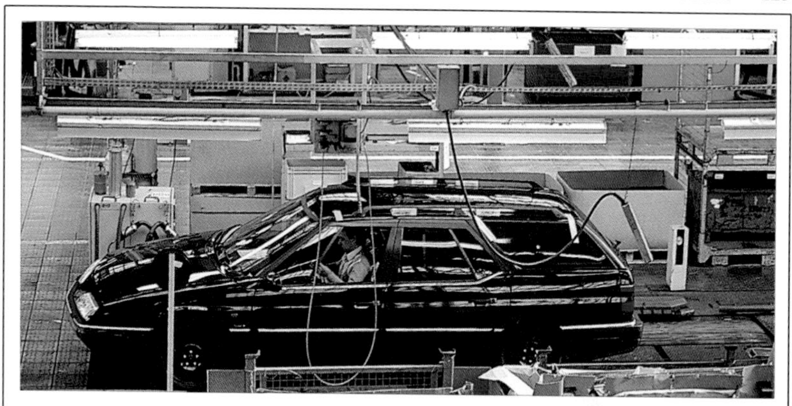

Les routes
L'étendue du réseau routier français est de 964 243 kilomètres, dont 7 598 kilomètres d'autoroute (312 mètres d'autoroute sont construits chaque jour). Des milliers de camions le parcourent chaque jour, transportant quotidiennement 3 698 356 tonnes de marchandises.

Le réseau autoroutier en France

7 598 km

Un jour au péage de Fleury

45 000 véhicules passent en moyenne chaque jour à la gare de péage de Fleury, sur l'autoroute A6, avec des pointes de 58 000 à 60 000 véhicules les jours de « grande migration » (départ en vacances). Des boucles de comptage sont disposées dans le sol et permettent de mesurer, toutes les 6 minutes environ, le nombre de véhicules, la vitesse de passage, cela afin de prévoir et de réguler le trafic sur l'ensemble du réseau autoroutier, mais aussi de prévenir le personnel placé en astreinte en cas d'affluence soudaine. En période courante, 50 péagistes reçoivent les véhicules, mais ils sont jusqu'à 100, voire 120, les jours d'affluence. Ce sont eux qui encaissent les paiements et renseignent les automobilistes sur les itinéraires recommandés. Ils effectuent environ 1 000 transactions lors de leurs 8 heures de travail journalier, soit 125 par heure. Les jours de grande affluence, ils peuvent effectuer jusqu'à 250 transactions par heure.
2 ou 3 accidents chaque mois mettent surtout en cause des véhicules qui emboutissent les amortisseurs placés devant les cabines des péagistes. La fraude est quasi inexistante, mais il en coûte à tout contrevenant 230 francs d'amende, plus le montant du trajet le plus long dans sa catégorie. 40,6 % des paiements se font par carte bancaire, 35,5 % par chèque ou espèces, et 23,9 % par abonnement. L'ensemble des péages français collectent 68,5 millions de francs chaque jour. La gare de péage de Fleury est une des trois plus importantes en France. Elle compte pas moins de 26 voies.

ET PENDANT CE TEMPS-LÀ...
DANS LE MONDE

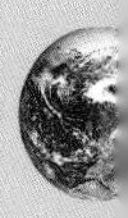

LA TERRE

Notre globe effectue sa rotation quotidienne, du moins pas exactement, puisque la Terre tourne sur elle-même en 23 heures 56 minutes 4 secondes.

Les orages

Ils secouent sans cesse la surface de la planète : 1700 chaque seconde, soit 6120000 chaque heure ou 147 millions chaque jour. Ce qui entraîne entre 4 et 8 millions d'impacts de foudre. (Sur le seul territoire français, l'orage tonne chaque jour durant 1 heure 18 et la foudre frappe 2483 fois.)

Fleuves et océans

L'ensemble des rivières et des fleuves du monde charrie quotidiennement 86,4 kilomètres cubes d'eau douce. Dans le même temps, les océans, qui couvrent plus de 70 % de la surface du globe et ont un volume de 1,37 milliard de kilomètres cubes, reçoivent, sous forme de précipitations, 864 kilomètres cubes d'eau douce. Quant au Gulf Stream, le fameux courant de surface de l'Atlantique Nord, il roule, au sud de Terre-Neuve, 11232 kilomètres cubes d'eau de mer chaude par jour, soit 130 fois le flux cumulé des fleuves.

Les glaces

La glace de l'Antarctique fond. Avec ses 30 millions de kilomètres cubes, la calotte polaire de l'Antarctique recèle 90 % des glaces du monde. Ce trésor, qui représente la plus grande réserve d'eau douce de la planète, n'est pas près d'être dilapidé. En effet, l'Antarctique ne se sépare, en moyenne, que de 5,2 kilomètres cubes de glace par jour sous forme d'icebergs tabulaires qui partent à la dérive et vont lentement fondre en mer en dérivant vers des latitudes plus clémentes. Ce mécanisme de débâcle d'icebergs n'est pas continu. Les « glaçons » qui se détachent sporadiquement lors de l'été austral peuvent atteindre des surfaces colossales et dépasser les 10000 kilomètres carrés. Chaque fois, ce sont quelque 6000 kilomètres cubes de glace que perd le continent blanc, soit l'équivalent de trois années d'accumulation de neige sur l'Antarctique.

Les espèces

Les espèces disparaissent. Depuis un siècle environ, l'activité de l'humanité et son développement démographique appauvrissent dangereusement la diversité biologique de la planète. Au rythme actuel, on estime que plus de 20 % des espèces auront disparu d'ici à l'an 2000 sans que l'on ait même eu le temps d'en connaître les trois quarts, notamment dans les forêts tropicales, dont 30000 à 60000 hectares sont déboisés chaque jour. Taux quotidien d'extinction de la faune et de la flore : 100 espèces !

Les tremblements de terre

La croûte terrestre s'agite. Sur 65 000 kilomètres de frontières – les dorsales océaniques – les six grandes plaques principales qui constituent la croûte terrestre s'écartent les unes des autres à raison de 2 à 4 centimètres par an. Du basalte, venu du manteau supérieur, comble le vide. Il se crée ainsi annuellement 2,6 kilomètres carrés de nouvelle croûte. Dans le même temps, une surface équivalente de croûte disparaît le long des frontières où les plaques s'affrontent. De ce remue-ménage planétaire, que les spécialistes nomment tectonique des plaques, naissent montagnes, fosses océaniques, volcans et séismes. Ces derniers, véritables thermomètres de l'activité, localisés pour l'essentiel le long des frontières de plaques, sont extrêmement nombreux, on en compte 1 370 à 2 740 par jour. 270 de ces tremblements de terre sont suffisamment puissants pour être ressentis et 3 sont capables de causer des dégâts.

Les météorites

La guerre des étoiles… filantes fait rage. La Terre, dans sa course immuable autour du Soleil, balaie un espace encombré de gravois de toutes tailles allant de l'astéroïde, véritable planète miniature, à la météorite microscopique en passant par les météorites. Lorsque la trajectoire du globe coupe celle d'un de ces cailloux cosmiques, c'est la collision. Les étoiles filantes, le plus souvent poussières arrachées aux comètes, signent ainsi la désintégration dans l'atmosphère d'un grain de poussière cosmique. Les astronomes ont calculé que la Terre récolte ainsi chaque année plus de 200 000 tonnes de matière météoritique, dont un centième seulement parvient jusqu'au sol, le reste brûlant dans l'atmosphère. Chaque jour, ce sont ainsi 548 tonnes de gravois qui viennent retomber sur le globe. Le plus gros de ces cailloux pèse 100 tonnes.

Les ondes radio

Si, par le plus grand des hasards, une civilisation s'est développée sur l'une des planètes extrasolaires que les astronomes commencent à détecter, elle a deux possibilités de découvrir que la Terre est habitée. Elle peut intercepter l'une ou l'autre des deux sondes Voyager qui parviennent aujourd'hui aux confins du système solaire en s'éloignant quotidiennement du Soleil de 1 440 000 kilomètres et y découvrir le message que la Nasa a pris soin d'y graver. Mais cette civilisation a beaucoup plus de chance de capter une émission de radio ou de télévision. Depuis les années 30, elles tissent autour de la Terre un cocon qui, chaque seconde, gonfle à la vitesse de la lumière, c'est-à-dire 300 000 kilomètres par seconde, soit 25 920 000 000 de kilomètres par jour. À ce rythme, le front des émissions radioélectriques humaines baigne les étoiles jusqu'à 60 années-lumière de la Terre.

LE MONDE

DÉMOGRAPHIE

Avec 5840000000 de personnes, un taux de natalité de 24 pour 1000 et un taux de mortalité de 9 pour 1000, la population mondiale ne cesse de s'accroître. On compte ainsi 239362 personnes de plus chaque jour sur la Terre, soit un peu plus que la population d'une ville comme Bordeaux.
Environ 381827 enfants naissent chaque jour dans le monde. C'est en Inde et en Chine que l'on compte le plus de naissances avec respectivement presque 76000 et 57530 nouveau-nés. Viennent immédiatement après, mais tout de même loin derrière, le Pakistan avec 14720 naissances, l'Indonésie avec 14160 et le Nigeria avec 12620. Tout de suite après, les pays de l'Europe des Quinze, réunis, comptent 11055 naissances quotidiennes.
C'est au Niger que le taux de natalité est le plus élevé, avec 53 naissances pour 1000 habitants, soit 1423 nouveau-nés chaque jour.
Il faut cependant noter que 22375 enfants de moins de 1 an meurent tous les jours: 5700 en Inde, 1800 en Chine, et très loin derrière 60 dans l'Europe des Quinze.
On enregistre 142465 décès chaque jour dans le monde. La Zambie a le plus fort taux de mortalité avec 24 décès pour 1000 habitants, soit 618 décès quotidiens. Viennent ensuite le Malawi et l'Afghanistan avec un taux de mortalité de 22 pour 1000 habitants, soit respectivement 578 et 1330 décès quotidiens. En Inde, le taux de mortalité n'est que de 10 pour 1000, mais avec une population de 969 millions d'habitants, cela représente tout de même 26570 décès chaque jour. C'est en Asie et en Afrique que l'on «meurt» le plus avec 77850 décès pour le premier continent et 28500 pour le second.
Et pour vivre vieux, vivons en Islande, puisque c'est dans ce pays que l'espérance de vie est la plus longue (79 ans).

CRIMINALITÉ

L'argent sale
Dans la masse des 5490 milliards de francs qui circulent chaque jour dans le monde se mêlent de l'argent venant d'activités commerciales classiques et

celui d'une industrie illicite. On estime ainsi à près de 7 milliards de francs les recettes des trafics de drogue, rackets et autres corruptions. Plus de 12 milliards de francs seraient déposés tous les jours dans les îles Caïmans, un des *tax havens* les plus appréciés.
À titre d'exemple, la Mafia italienne a réalisé un chiffre d'affaires quotidien de 992 millions de francs en 1996, dont 250 millions proviennent du trafic de drogue.

Les drogues
Presque 1 tonne d'héroïne et 3 tonnes de cocaïne seraient produites chaque jour; et près de 11 tonnes de cannabis. À peine 690 kilos de cocaïne et 85 kilos d'héroïne sont saisis dans le même temps.

Les crimes et délits
Impossible, faute de statistiques crédibles, de rendre compte de la criminalité mondiale. Citons juste les États-Unis, dont la réputation en matière de violence n'est plus à faire. 59 meurtres y sont commis tous les jours, 1 toutes les 25 minutes. Ce sont aussi 267 viols, 7125 cambriolages, 4100 vols de voitures et près de 22000 vols simples déclarés. La criminalité coûterait plus de 6 milliards de francs tous les jours au pays de l'Oncle Sam et aux Américains qui en sont les victimes.

ÉCONOMIE

Le commerce
En 1995, les échanges commerciaux mondiaux se sont élevés chaque jour, selon l'OMC (Organisation mondiale du commerce), à 51,9 milliards de francs, dont 17,5 milliards rien que pour les échanges intra-européens. Chacun des États européens réalise de 60 à 70 % de son commerce avec les autres pays de l'Union.

Les productions
– 72 millions de barils de pétrole sont produits chaque jour, dont 28,5 millions par les pays de l'Opep.
– Les 6,6 tonnes d'or extraites chaque jour sont insuffisantes pour répondre à une demande globale de quelque 7,2 tonnes. L'Afrique du Sud est le premier producteur, avec 1,5 tonne.
– 286300 carats de diamants sont produits quotidiennement pour une valeur de près de 1 milliard de francs.
– La Chine, premier producteur de fer, fournit 616440 tonnes des 2,6 millions de tonnes produites sur la planète, mais en consomme 706850 tonnes.
– La production mondiale de caoutchouc naturel a dépassé les 17400 tonnes quotidiennes, alors que la consommation s'établit à 17260 tonnes. La Thaïlande et l'Indonésie, les deux premiers producteurs, atteignent respectivement 5270 et 4395 tonnes.
– Sur le marché alimentaire, 4,7 millions de tonnes de céréales (dont près de 1,5 million de tonnes de blé), 1,5 million de tonnes de produits laitiers, 1,4 million de tonnes de légumes, 1,2 million de tonnes de fruits, 15000 tonnes de café sont produites chaque jour dans le monde.

L'industrie automobile
Chaque jour, 136720 véhicules particuliers et utilitaires sont produits dans le monde. Les Américains sont les plus gros producteurs, avec 32835 voitures produites, suivis des Japonais, avec 27685 véhicules, et des Allemands avec 12790.
36 heures sont nécessaires pour fabriquer une voiture dans une usine européenne, contre 26 heures aux États-Unis et 19 au Japon.

La presse
Pour la presse, le Japon est le champion absolu des ventes, avec 71,9 millions

d'exemplaires de quotidiens vendus, devant les États-Unis (59 millions), l'Allemagne (25,7 millions) et l'Inde (21,7 millions). Cependant, c'est en Norvège qu'on lit le plus la presse, avec 610 exemplaires quotidiens pour 1000 habitants. Viennent ensuite la Suisse avec 592 exemplaires et le Japon avec 575.

FINANCES

Les marchés financiers
En 1973, 100 milliards de francs étaient traités chaque jour sur le marché des devises. Ce volume quotidien est monté à plus de 5490 milliards de francs aujourd'hui.
Au cours des neuf premiers mois de 1996, 16,5 milliards de francs d'actions et d'obligations ont été émis chaque jour.
La Bourse de Londres pèse un tiers de la capitalisation européenne, puisque 23,5 milliards de francs y sont gérés chaque jour, contre 15 milliards en Suisse, 12,5 milliards en Allemagne, et 11,5 milliards en France.

Les aides
– La BIRD (Banque internationale pour la reconstruction et le développement) et l'Ida (Association internationale de développement), en 1995, ont engagé respectivement 230 millions et 77,5 millions de francs chaque jour à destination des pays en voie de développement. La Banque mondiale a, entre autres, consacré quotidiennement 36 millions de francs à l'aide à l'agriculture, 30 millions aux installations électriques, 28,5 millions à l'éducation, 20 millions au développement urbain, 16 millions à l'aide aux populations en matière de santé et de nutrition, et 9 millions pour la protection sociale.
– En 1995, le FMI (Fonds monétaire international) a engagé plus de 355 millions de francs chaque jour pour aider les économies en difficulté.
– L'Organisation des Nations unies dépense environ 71,4 millions de francs chaque jour ; 35 millions vont à l'aide humanitaire et aux interventions en cas de catastrophe, 9,5 millions aux traitements des problèmes de développement général, ou encore 6,3 millions au commerce et au développement.
– L'Unicef dépense près de 25 millions de francs tous les jours, dont 15 millions rien que pour l'aide à la santé.

La pauvreté
3 milliards de personnes vivent avec moins de 10 francs par jour, et 1,3 milliard avec moins de 5 francs. Ce sont ainsi 56 % des habitants de la planète qui se partagent moins de 5 % du revenu total.
Les pays en développement doivent rembourser chaque jour 27,5 milliards de francs de dettes. Ils attirent dans le même temps environ 1,1 milliard de francs d'investissements directs étrangers.

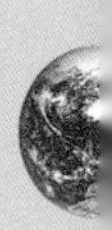

SANTÉ

Les maladies les plus meurtrières

En 1996, sur les 142465 décès que l'on a enregistrés chaque jour dans le monde, près de 47400 sont dus à des maladies infectieuses ou parasitaires, plus de 41100 à des maladies de l'appareil circulatoire, 17260 à des cancers et 10690 à des maladies des voies respiratoires.

Parmi les décès dus à des maladies circulatoires, 19 730 sont attribués à des cardiopathies coronariennes et 12600 à des accidents vasculaires cérébraux.

Le cancer du poumon est le plus meurtrier, avec 2710 décès quotidiens, suivi du cancer de l'estomac (2125), de celui du côlon/rectum (1355) et de celui du foie (1060).

Le tabac est à l'origine de 8220 décès survenus par cancers du poumon ou par maladies de l'appareil respiratoire.

Les infections respiratoires et la tuberculose, avec respectivement 10690 et 8220 décès, sont les maladies transmissibles les plus meurtrières.

La diarrhée tue 6850 personnes.

Le paludisme, qui continue de toucher environ 1,4 million de personnes, en tue 5480 quotidiennement. La lutte antipaludique est difficile, car il faut adapter les stratégies thérapeutiques au contexte local. En Tanzanie, par exemple, lors de la saison des pluies (en février et en mai), on peut compter jusqu'à 25 piqûres infectantes par nuit, 100 fois plus qu'en Colombie.

4110 personnes sont mortes du sida chaque jour de 1996, et 3290 de l'hépatite B.

Les enfants

10960 nourrissons naissent chaque jour atteints d'une anomalie congénitale majeure.

Environ 8220 enfants de pays en développement meurent faute d'eau salubre, 32880 enfants de moins de 5 ans faute de nourriture suffisante, de vaccination, etc. La rougeole touche environ 115000 enfants, et 2740 en meurent.

La malnutrition

Plus de 2 milliards de personnes dans le monde sont vulnérables au risque de carences alimentaires et plus de 1 milliard souffre de maladies ou d'infirmités dues à ces carences. Dans un pays du tiers-monde de 50 millions d'habitants, il faudrait dépenser chaque jour environ 342000 francs pour pallier les différentes carences en micronutriments.

Les maladies mentales

400 millions de personnes souffrent de troubles mentaux, et chaque jour on dénombre 12330 nouveaux cas de schizophrénie et autres troubles délirants. 29 millions de personnes sont atteintes de démence, 550 en meurent chaque jour et 7125 nouveaux cas sont déclarés.

LES BEST-SELLERS MONDIAUX

ALIMENTATION

Danone donne dans le gigantisme. Chaque jour, 85 millions de biscuits fabriqués par le groupe français sont grignotés aux quatre coins du monde, et 41 millions de petites cuillères plongent dans un yaourt Danone. 34 pays ont adopté ce produit qui a su se décliner en de multiples versions pour plaire aux palais du monde entier.
Un souci d'adaptation qui n'a pas été repris par **McDonald's**. Mais qu'importe, la formule uniforme fonctionne tout de même, puisqu'ils sont 35 millions à se presser chaque jour dans les quelque 19000 restaurants McDonald's répartis dans 93 pays. Quotidiennement, 17 millions de hamburgers sont engloutis par les fans de Ronald McDonald's… Et l'aventure est loin d'être terminée, puisque le groupe américain veut créer d'ici à l'an 2000 plus de 2000 restaurants supplémentaires: concrètement, chaque jour, 2 nouveaux restaurants McDonald's ouvrent leurs portes quelque part dans le monde.
Autre poids lourd de l'industrie agroalimentaire américaine, **Coca-Cola** ne vend pas moins de

14 millions de stylos Bic sont vendus chaque jour dans le monde! Les autres produits phares de la marque française, les rasoirs et les briquets, atteignent respectivement 7 millions et 4 millions d'unités achetées quotidiennement.

595 millions de bouteilles chaque jour… Un chiffre qui a de quoi rendre complètement «fou» le numéro un mondial de l'eau gazeuse. **Perrier** s'en tire pourtant plus qu'honorablement: 3,2 millions d'inconditionnels se précipitent sur la petite bouteille ventrue…
Coca et Perrier ne sont pas les seuls à faire pétiller la planète. Dans la catégorie haut de gamme, **Moët et Chandon** vend 664000 bouteilles de champagne chaque jour dans le monde. Dans le même temps, 547 amateurs de Château Margaux descendent dans leurs caves pour déguster ce grand cru, à 1200 francs la bouteille en moyenne.

MODE ET BEAUTÉ

L'Oréal a décroché le pactole avec sa crème de coloration de cheveux Excellence. 247000 coquettes s'arrachent chaque jour le tube fabriqué par le groupe français.
La chemise en coton inventée par Robert **Lacoste** fait encore recette. En l'espace de soixante ans, 300 millions de personnes ont transpiré dans la mythique petite chemisette. 16500 exemplaires sont quotidiennement achetés par les mordus du crocodile. Un chiffre qui ne tient pas compte des imitations (10 tonnes saisies chaque année).
Ce n'est pas vraiment une surprise, le parfum le plus vendu au monde est français. Le succès du mythique numéro 5 de **Chanel** ne se dément pas: toutes les 30 secondes, un exemplaire du fameux flacon trouve

preneur. Chaque jour, plus de 2800 unités sont vendues aux quatre coins de la planète. Une réussite comparable à celle du carré **Hermès**. Inventé il y a cinquante ans par le sellier parisien, le foulard – 75 grammes de soie répartis sur 90 centimètres carrés – séduit encore 2740 clientes par jour. À 1380 francs la pièce, on ne s'étonne plus que le carré représente à lui tout seul 20 % du chiffre d'affaires d'Hermès.

Quant au couturier italien **Gucci**, son produit phare, le sac Bamboo, caracole en tête des ventes dans sa catégorie. Pas moins de 205 exemplaires sont vendus quotidiennement dans le monde, aux alentours de 3000 francs.

Nike, le numéro un incontesté de la chaussure mondiale, vend plus de 410000 paires par jour. Mais, avec 1000 modèles différents, fabriqués dans des usines réparties dans 55 pays, la marque fétiche des adolescents est quasiment sûre de faire l'unanimité.

En comparaison, **Doc Marten's**, la chaussure des stars – de Jean-Paul II à Naomi Campbell –, tient difficilement la distance. Mais les 28000 exemplaires de sa légendaire 1460 (parce qu'inventée le 1er avril 1960) adoptés quotidiennement, dans 70 pays, ne relèvent pas vraiment du même marché.

MULTIMÉDIA

Kodak, le géant mondial de la photographie, vend chaque jour plus de 3 millions de pellicules.

Bill Gates souhaitait que l'informatique devienne un bien de consommation comme un autre. Au vu des résultats de son entreprise, **Microsoft**, il a bel et bien remporté son pari. Windows 95 a conquis le monde entier: 134000 logiciels sont achetés chaque jour. Le japonais **Sony** vend 40000 exemplaires de son produit phare, le Walkman.

JOUETS

C'est la poupée la plus vendue au monde. Toutes les secondes, 2 **Barbie** sont vendues, soit 172800 par jour. Et, depuis sa création, 1 milliard de Barbie ont été achetées dans le monde. Depuis 1932, **Lego** a vendu 300 millions de ses boîtes, soit 330000 boîtes chaque jour. Quant au jeu le plus populaire de **Fisher Price**, la pyramide Arc-en-ciel, il conquiert chaque jour 4110 nouveaux petits adeptes.

Le jeu de société le plus populaire du monde reste sans conteste le très capitaliste **Monopoly**. Depuis 1935, 160 millions de boîtes – soit 5 milliards de maisons vertes! – se sont vendues. Et, malgré son grand âge, le Monopoly remporte encore tous les suffrages, puisque chaque jour 18500 jeux trouvent preneurs dans 43 pays.

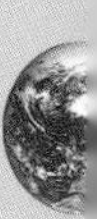

La population française en chiffres par région et département Population totale au 01/01/1995

Ile-de-France
Paris 2 130 900
Seine-et-Marne 1 179 300
Yvelines 1 367 700
Essonne 1 145 900
Hauts-de-Seine 1 405 300
Seine-Saint-Denis 1 405 500
Val-de-Marne 1 234 700
Val-d'Oise 1 108 400
Total 10 977 770

Champagne-Ardenne
Ardennes 292 000
Aube 293 100
Marne 567 300
Haute-Marne 200 100
Total 1 352 500

Picardie
Aisne 539 500
Oise 762 700
Somme 553 100
Total 1 855 200

Haute-Normandie
Eure 535 400
Seine-Maritime 1 241 500
Total 1 776 900

Centre
Cher 321 100
Eure-et-Loir 410 000
Indre 234 400
Indre-et-Loire 545 800
Loir-et-Cher 312 500
Loiret 609 300
Total 2 433 000

Basse-Normandie
Calvados 633 800
Manche 484 100
Orne 294 700
Total 1 412 500

Bourgogne
Côte-d'Or 507 300
Nièvre 230 400
Saône-et-Loire 554 800
Yonne 331 400
Total 1 623 800

Nord-Pas-de-Calais
Nord 2 556 800
Pas-de-Calais 1 438 000
Total 3 994 800

Lorraine
Meurthe-et-Moselle 716 200
Meuse 194 000
Moselle 1 015 900
Vosges 385 400
Total 2 311 500

Alsace
Bas-Rhin 994 100
Haut-Rhin 695 700
Total 1 689 800

Franche-Comté
Doubs 494 100
Jura 252 100
Haute-Saône 229 900
Territoire de Belfort 137 100
Total 1 113 300

Pays de la Loire
Loire-Atlantique 1 089 400
Maine-et-Loire 721 200
Mayenne 281 900
Sarthe 521 600
Vendée 525 700
Total 3 139 700

Bretagne
Côtes-d'Armor 536 600
Finistère 840 600
Ille-et-Vilaine 836 700
Morbihan 633 000
Total 2 846 900

Poitou-Charentes
Charente 341 200
Charente-Maritime 540 700
Deux-Sèvres 346 800
Vienne 390 400
Total 1 619 100

Aquitaine
Dordogne 388 700
Gironde 1 263 500
Landes 318 300
Lot-et-Garonne 303 600
Pyrénées-Atlantiques 592 200
Total 2 866 300

Midi-Pyrénées
Ariège 136 600
Aveyron 266 700
Haute-Garonne 990 700
Gers 172 300
Lot 157 000
Hautes-Pyrénées 224 000
Tarn 341 700
Tarn-et-Garonne 205 200
Total 2 494 200

Limousin
Corrèze 236 300
Creuse 127 100
Haute-Vienne 355 500
Total 718 900

Rhône-Alpes
Ain 500 400
Ardèche 282 900
Drôme 426 800
Isère 1 064 600
Loire 748 500
Rhône 1 561 900
Savoie 366 800
Haute-Savoie 617 300
Total 5 569 200

Auvergne
Allier 352 500
Cantal 155 200
Haute-Loire 206 600
Puy-de-Dôme 601 100
Total 1 315 400

Languedoc-Roussillon
Aude 305 300
Gard 607 100
Hérault 859 900
Lozère 72 800
Pyrénées-Orientales 376 200
Total 2 221 400

Provence-Alpes-Côte d'Azur
Alpes-de-Haute-Provence 138 800
Hautes-Alpes 118 800
Alpes-Maritimes 1 011 100
Bouches-du-Rhône 1 797 000
Var 872 900
Vaucluse 489 600
Total 4 428 200

Corse
Corse-du-Sud 124 400
Haute-Corse 135 300
Total 259 700

France métropolitaine 58 020 100

Source : INED
Carte réalisée par les ateliers Edigraphie, Maronnes

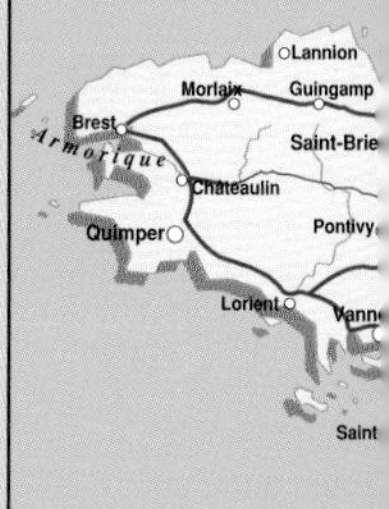

OCÉAN
ATLANTIQU

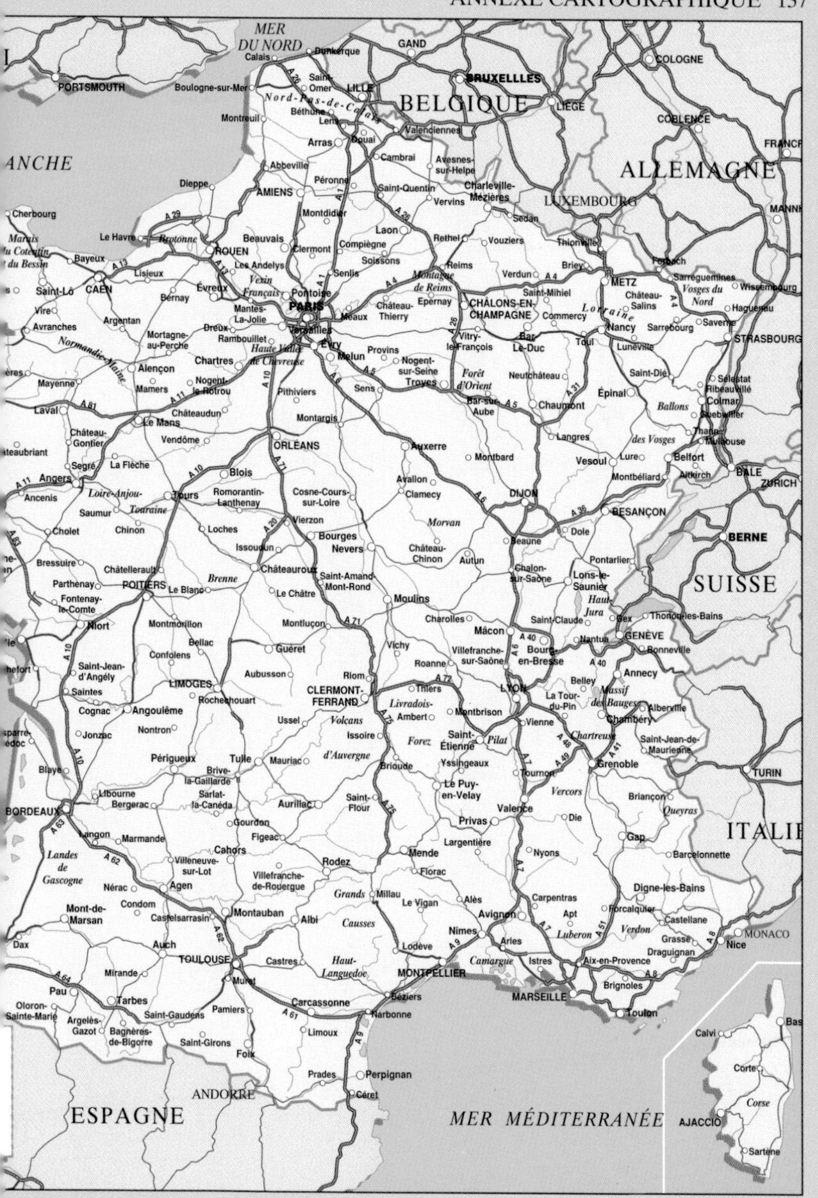
MER
DU NORD
MANCHE
BELGIQUE
ALLEMAGNE
LUXEMBOURG
SUISSE
ITALIE
ESPAGNE
ANDORRE
MER MÉDITERRANÉE
MONACO
PORTSMOUTH
Calais
Dunkerque
GAND
COLOGNE
BRUXELLLES
Boulogne-sur-Mer
Saint-Omer
LILLE
LIÈGE
Nord-Pas-de-Calais
Béthune
Lens
Montreuil
Valenciennes
COBLENCE
Arras
Douai
Cambrai
Avesnes-sur-Helpe
Abbeville
Péronne
Dieppe
AMIENS
Saint-Quentin
Charleville-Mézières
Vervins
Sedan
Cherbourg
Marais du Cotentin et du Bessin
Montdidier
Laon
Rethel
Vouziers
Thionville
Le Havre
Brotonne
Beauvais
ROUEN
Clermont
Compiègne
Soissons
Reims
Bayeux
Les Andelys
Montagne de Reims
Verdun
Briey
Forbach
Sarreguemines
Wissembourg
Lisieux
Vexin Français
Senlis
METZ
Vosges du Nord
Saint-Lô
CAEN
Évreux
Pontoise
Saint-Mihiel
Château-Salins
Haguenau
Bernay
PARIS
Meaux
Château-Thierry
Epernay
CHÂLONS-EN-CHAMPAGNE
Lorraine
Vire
Argentan
Mantes-La-Jolie
Versailles
Commercy
Nancy
Sarrebourg
Saverne
Avranches
Dreux
Rambouillet
Évry
Vitry-le-François
Bar-Le-Duc
Toul
Lunéville
STRASBOURG
Normandie-Maine
Mortagne-au-Perche
Haute Vallée de Chevreuse
Melun
Provins
Nogent-sur-Seine
Chartres
Alençon
Saint-Dié
Sélestat
Ribeauvillé
Mayenne
Mamers
Nogent-le-Rotrou
Pithiviers
Sens
Troyes
Forêt d'Orient
Neufchâteau
Épinal
Colmar
Laval
Bar-sur-Aube
Chaumont
Ballons des Vosges
Guebwiller
Le Mans
Châteaudun
Montargis
Thann
Mulhouse
Château-Gontier
Vendôme
ORLÉANS
Auxerre
Langres
Montbard
Vesoul
Lure
Belfort
Segré
La Flèche
Blois
Montbéliard
Altkirch
BÂLE
ZURICH
Angers
Ancenis
Loire-Anjou-Touraine
Tours
Romorantin-Lanthenay
Cosne-Cours-sur-Loire
Avallon
Clamecy
DIJON
BESANÇON
Saumur
Chinon
Vierzon
Morvan
Cholet
Loches
Bourges
Nevers
Dole
BERNE
Issoudun
Château-Chinon
Autun
Beaune
Pontarlier
Bressuire
Châtellerault
Châteauroux
Chalon-sur-Saône
Lons-le-Saunier
Parthenay
POITIERS
Le Blanc
Brenne
Saint-Amand-Mont-Rond
Le Châtre
Fontenay-le-Comte
Moulins
Haut-Jura
Thonon-les-Bains
Niort
Montmorillon
Montluçon
Charolles
Mâcon
Saint-Claude
Gex
GENÈVE
Bellac
Guéret
Vichy
Villefranche-sur-Saône
Bourg-en-Bresse
Nantua
Bonneville
Confolens
Saint-Jean-d'Angély
Aubusson
Riom
Roanne
Annecy
Saintes
LIMOGES
CLERMONT-FERRAND
Thiers
LYON
Belley
Rochechouart
Livradois-Forez
La Tour-du-Pin
Massif des Bauges
Albertville
Cognac
Angoulême
Ussel
Volcans d'Auvergne
Ambert
Montbrison
Vienne
Chambéry
Jonzac
Nontron
Issoire
Saint-Étienne
Pilat
Chartreuse
Saint-Jean-de-Maurienne
Blaye
Périgueux
Tulle
Mauriac
Brioude
Yssingeaux
Tournon
Grenoble
TURIN
Brive-la-Gaillarde
Le Puy-en-Velay
Vercors
Libourne
Bergerac
Sarlat-la-Canéda
Aurillac
Saint-Flour
Valence
Briançon
BORDEAUX
Gourdon
Privas
Die
Queyras
Langon
Marmande
Figeac
Largentière
Gap
Landes de Gascogne
Cahors
Mende
Nyons
Barcelonnette
Villeneuve-sur-Lot
Rodez
Florac
Nérac
Agen
Villefranche-de-Rouergue
Grands Causses
Millau
Le Vigan
Alès
Carpentras
Digne-les-Bains
Condom
Mont-de-Marsan
Castelsarrasin
Montauban
Albi
Avignon
Apt
Forcalquier
Castellane
Nîmes
Arles
Luberon
Verdon
Grasse
Dax
Auch
Lodève
Draguignan
Nice
TOULOUSE
Castres
Haut-Languedoc
MONTPELLIER
Camargue
Istres
Aix-en-Provence
Mirande
Muret
Brignoles
Pau
Tarbes
Carcassonne
Béziers
MARSEILLE
Toulon
Oloron-Sainte-Marie
Saint-Gaudens
Pamiers
Narbonne
Argelès-Gazot
Bagnères-de-Bigorre
Saint-Girons
Limoux
Foix
Calvi
Bastia
Corte
Prades
Perpignan
Céret
Corse
AJACCIO
Sartène
A 26
A 1
A 29
A 13
A 4
A 26
A 5
A 6
A 10
A 11
A 81
A 31
A 71
A 20
A 36
A 11
A 83
A 40
A 72
A 75
A 48
A 49
A 41
A 7
A 63
A 62
A 51
A 8
A 9
A 64
A 61

TABLE DES ILLUSTRATIONS

SOURCES

Outre l'Insee et Francoscopie 97 de Gérard Mermet que l'équipe du magazine *Le Point* a utilisés, les autres sources principales sont :
«Les scores records du corps», Editions Hors Collection, Fédération des industries de la parfumerie, Fédération nationale de la coiffure française, CTCOE, Fédération nationale de la chaussure, CNAMTS, Fédération nationale des observatoires régionaux de la santé, Haut comité de la santé publique, Comptes de la santé, Credes, Direction générale de la santé, Syndicat national de l'industrie pharmaceutique, OMS, Ined, Inserm, Procter and Gamble, Diépal, ANPDE, Centre de documentation et d'information sur le tabac, Fédération française des magasins de bricolage, Fédération française des industries du jouet, Oniflhor, Gifam, Simavelec, Ipea, Meubloscopie, Girac Sic Conseil, CI sur l'eau, Institut géographique national, Icolo, Séga France, Nintendo France, Lego France, Hasbro France, Self Image, Alter Ego, SPA, Centrale Canine, Cyno mag, Facco, Caisse de retraite des vétérinaires, Institut français de l'environnement, Ademe, Ministère de la Justice, Sous-direction de la circulation routière, Ministère du Logement, Ministère de l'Intérieur, Sécurité routière, OEST, Europe Assistance, Ministère de l'Emploi et de la Solidarité, Ministère de l'Education nationale, Service d'information de l'Église de France, Consistoire de Paris, magazine *Islam de France*, ANPE, Unedic, *Le Monde diplomatique*, Ministère de l'Agriculture, de la Pêche et de l'Alimentation, Sous-direction des pêches maritimes, FAO, Ministère de l'Économie, des Finances et de l'Industrie, Banque de France, GIE des Cartes bancaires, La Poste, Monnaie de Paris, CDIA, Médiamétrie, CSA, IREP, TF1, France Télévision, La Cinquième-Arte, CNC, Gaumont, Syndicat national de l'édition, OJD, Syndicat national de l'édition phonograhique, Chambre syndicale de la facture instrumentale, La Documentation française, Ministère de la Culture-DEP, Caisse nationale des monuments historiques, Réunion des musées nationaux, musée du Louvre, Ministère de la Jeunesse et des Sports, FNCASL, Union nationale de la pêche, Futuroscope, Disneyland Paris, Parc Astérix, Union nationale des chasseurs de France, Syndicat national des discothèques et des lieux de loisirs, Française des Jeux, PMU, Syndicat des casinos de France, Ministère du Tourisme, Fédération nationale de l'industrie hôtelière, revue *L'Hôtellerie*, Syndicat des limonadiers, Compagnie des constructeurs français automobiles, Automobile Club National, SNCF, DGAC, Servair, Syndicat de la moto, France Télécom, Bouygues Télécom, SFR, Observatoire mondial des systèmes de communication, International Data Corporation, Grolier Interactif, Société des autoroutes Paris-Rhin-Rhône, Direction centrale du contrôle de l'immigration, Mairie de Paris, Préfecture de police de Paris, RATP, Citepa, Crous, Ciné-chiffres-*Le Film français*, Météorage, Météo-France, *Les Océans*, de FJ.F Minster, Editions Domino-Flammarion, *Glaces de l'Atlantique*, de C. Lorius, Editions Odile Jacob, *Les Comètes et les astéroïdes*, de C. Levasseur-Regourd et P. de la Cotardière, Editions Points-Sciences, *Les Fureurs de la Terre*, de C. Allègre, Éditions Odile Jacob.

INDEX

A

B